付加価値ファースト

常識を壊す旭鉄工の経営

Kimura Tetsuya
木村哲也

技術評論社

免責

本書に記載された内容は、情報の提供のみを目的としています。したがって、本書を用いた運用は、必ずお客様自身の責任と判断によっておこなってください。これらの情報の運用の結果について、技術評論社および著者はいかなる責任も負いません。

本書記載の情報は、刊行時のものを掲載していますので、ご利用時には変更されている場合もあります。

以上の注意事項をご承諾いただいたうえで、本書をご利用願います。これらの注意事項をお読みいただかずに、お問い合わせいただいても、技術評論社および著者は対処しかねます。あらかじめ、ご承知おきください。

商標、登録商標について

本文中に記載されている製品の名称は、一般に関係各社の商標または登録商標です。なお、本文中では™、®などのマークを省略しています。

はじめに

「収益性が低く、事業を将来も継続していけるか不安だ」
「新しい取り組みに着手しようにも社内の抵抗が大きくなにもできない」
「環境への配慮が必要とは思うが、コストをかける余裕がない」

そんな会社は多いのではないでしょうか。

80年の歴史を持つトヨタ系1次サプライヤーである旭鉄工も、以前は収益性が低く、生産しても適正な利益を出すことができない赤字体質でした。従業員のみなさんは真面目で従来どおりの仕事は着実にこなすものの、新しいことに取り組むことを嫌い、経営陣は部下の提案にコメントするだけで将来に対するビジョンも何もない状態。一方で、人口減少による国内市場の縮小は確実で、利益を出せず立ちゆかなくなるのは火を見るよりも明らかでした。

「このままでは、早晩この会社はなくなる」

２０１６年に3代目社長となった私は、危機感を持って徹底的な改革に着手しました。

旭鉄工の2つのDX

昨今、ＤＸ（デジタルトランスフォーメーション）という言葉をよく聞くようになりました。従来の人手による作業をデジタルで置き換えるのはデジタル化であり、ＤＸではありません。経済産業省のデジタルガバナンス・コード２・０によると、ＤＸの定義は次のようになっています。

「企業がビジネス環境の激しい変化に対応し、データとデジタル技術を活用して、顧客や社会のニーズを基に、製品やサービス、ビジネスモデルを変革するとともに、業務そのものや、組織、プロセス、企業文化・風土を変革し、競争上の優位性を確立すること」

この定義に照らすと、旭鉄工は２つのＤＸを実行しています。

①デジタルを活用した収益力向上

②自社のツールとノウハウの外販

①デジタルを活用した収益力向上

まず、工場の稼働状況を見える化する自社開発ＩｏＴシステムの構築と活用を起点とし、データをもとに意思決定するデータドリブン経営の実践、そのための社員の意識・風土改革をおこないました。

製造現場でデータを使った素早いカイゼンにより労務費を下げ、競争力を向上させ、データで正確な原価把握をおこなって儲かる見積もりを出しつつ、赤字部品はカイゼンで黒字化し、経理の数字のカイゼン進捗を収支フォロー会議でフォローする。そうして製造現場から経営までがデータを活用するようにした結果、労務費を年４億円節減、電気使用量を26％削減など、経費が大きく低下。損益分岐点が、２０１５年度の１６２億円から、２０２２年度の１３３億円まで、29億円低下しました。売上高を同じ１６０億円でそろえて比較すると、利益は10億円も上乗せできました。

各製品の売上が増加する際にも、素早くカイゼン活動がおこなわれて残業が抑制されることで、売上増加に対する変動費の増加割合も下がり、売上増が利益に直結する体質にもなりました。

②自社のツールとノウハウの外販

旭鉄工でカイゼン効果が大きく出たことから、「このシステムとノウハウは他社にも活かせるのではないか」と考え、カイゼン活動を推進してきた主要メンバーに出向してもらう形で、2016年9月にi Smart Technologiesを別会社として設立しました。旭鉄工で効果を出したIoTシステムiXacs（アイザックス）と同じものを月額払いで他社でお使いいただけるのはもちろん、効果を出すためのiXacsの使い方のアドバイス、カイゼンのための会社の仕組み構築、人材育成といった旭鉄工のノウハウを提供するサービスを展開しています。戦略コンサルファームなどにはこういった具体的な製造現場のカイゼンはできませんし、従来のカイゼン活動の延長のコンサルティングでは我々のようなIoTを駆使したカイゼン活動は不可能です。自動車部品製造業という枠を越えて新しい領域に進出し、実績のあるIoTを活用したカイゼンのコンサルティングという意味ではライバルが存在しない会社となっております。

これらの取り組みによって、旭鉄工は先進的な取り組みをおこなう企業として知られるようになりました。国内外からお金を払って工場を見に来る人は絶えず、2022年9月から2023年8月までの工場見学の売上は900万円以上。頻繁にメディアに登場し、年100回以上の講演をこなしています。

必要なのはIT人材ではなく経営者自身がDX人材になること

私は2013年に社長後継含みで旭鉄工に転籍して取締役となり、2016年に社長となりました。トヨタ自動車技術部時代の車両開発で培われた物理モデルと数値を駆使するエンジニアリングセンス、トヨタ生産方式の知識、そして現地現物を大事にする姿勢はあるものの、経営的な知識も経験も、さらにはITの知識もありませんでした。そして、IT人材もいませんでした。それなのにDXを実行できました。

経済産業省の「デジタルガバナンス・コード2・0」では、組織づくり・人材・企業文化に関する方策での「望ましい方向性」として次のように述べています。

「経営トップが最新のデジタル技術や新たな活用事例を得た上で、自社のデジタル戦略の推進に活かしている。組織カルチャーの変革への取組み（雇用の流動性、人材の多様性、意思決定の民主化、失敗を許容する文化など）が行われている」

必要なのはIT人材ではなく、経営者自身がDX人材になることです。プログラミング言語を勉強してコードを書けるようになる必要はありません。現状の業務に問題意識を持つこと。そして、社外のデジタルの活用事例を多く見聞きし、何ができそうかの感覚を養い、推進することです。

私はトヨタ自動車時代は車両開発エンジニアであり、デジタルに明るかったわけではありません。しかしながら、当時からトヨタ自動車内の他部署の技術や知見を自分の担当する開発車両に応用することで性能向上を図ろうという意識が常にあり、貪欲に新しい情報を収集していました。それと同じです。デジタル活用についてのリテラシーを身につける意識を常に持ち、情報収集に努めることで、デジタル活用のアイデアが出てきますし、社内に対し進むべき方向性を示したり、部下の提案に対し適切な判断を下せるようになります。

経営者がDX人材になるために必要な視点は次の3つです。

①付加価値ファースト
②困難を突破する覚悟を持つ
③とにかくやってみる

そして、この3つの視点で会社を変革するポイントは次の3つです。

●問題を見える化する
●問題解決の仕組みをつくる
●挑戦する風土を構築する

本書の内容は概念論ではなく、実際に旭鉄工で実践した上記3つの視点と3つの手段を中心にお話しします。また、喫緊の課題であるカーボンニュートラル推進について、旭鉄工では問題の見える化から低減ノウハウの蓄積・共有、実際の排出量低減まで大きな効果をあげており、旭鉄工のDXの縮図ともいえる取り組みであるので、独立した章としてあります。

知恵を絞って小さな工夫を積み重ね、やり遂げてきた中で得られたものは、必ずや読者のお役に立てるものと確信してます。ＤＸ実行のための心構えなどは経営者に、改善およびカーボンニュートラル推進の技術的な内容は生産技術系の方に、従業員のモチベーションアップやカイゼンの回し方は現場の管理監督者に、と幅広い方のお役に立てば幸いです。

第1章 会社の変革にあたり持つべき3つの視点 27

第2章 見える化すべきは数値ではなく問題 65

第3章 儲かるカイゼンの仕組み 99

第4章 挑戦する風土への変革 141

第6章 限量経営のための原価管理と利益管理

第7章 儲かるカーボンニュートラルの秘密 257

第8章 自社のツールとノウハウの外販 309

第1章

会社の変革にあたり持つべき3つの視点

「はじめに」で、会社の変革にあたり持つべき3つの視点を挙げました。

1. 付加価値ファースト

2. 困難を突破する覚悟を持つ

3. とにかくやってみる

この章では、それぞれについてお話しします。

付加価値ファースト

「今までやってきた＝正しい」わけではない

私は、2021年のトヨタ自動車のキャリアの最後の3年間、生産調査部という部署に所属しました。トヨタ生産方式（以下、TPS）のいわば総本山といった部署で、トヨタ社内はもちろん、ボディメーカーやサプライヤー、官公庁などからも人が集まり、TPSを勉強・実践するところです。3年間と短い期間だったのでひよっこではありましたが、製造現場を見る目を養うことができました。そのおかげで、旭鉄工に来てみると、製造現場の問題点がたくさん目につきました。また、仕事の進め方や会議のやり方などのおかしな点も多く目につきました。たとえば……

●会議資料はやたらと分厚く文字が多く、何かやっているという雰囲気を醸し出すためだけの意味のない表が貼り付けられており、何が言いたいのか要領をえない。
●かと思えば、月1回の経営企画会議では部長級が自部署の状況の説明をすべて口頭でおこない、これまたほぼ言いわけにしか聞こえず、何が言いたいのかわからない。その会議時間は長めに設定され、終了時間も守らないので、前後に余裕を持つため、午前午後で1回ずつしか会議が設定できない。生産や経理の会議では言いわけしか出て来ず、次のアクションにまったくつながらない。
●品質の不具合が非常に多く、対策会議では「再教育」がアクションとして示され、真因を追及しないので、実際には何も向上せず、同じ内容の不具合が再発する。
●営業は、生産技術の出してきた見積もりの値段を勝手に下げて受注。営業は「儲かってます！」と言うが、経理のデータは正直、ちっとも儲かっていない。

今までこれでやってきた＝正しい、というわけではありません。外から来た私にはおかしなところだらけ。ほかのやり方をしてたらもっとうまくいっていたのかもしれない。

経営者が付加価値を生んでいない

当時の経営陣は、従業員の報告を聞いてコメントするだけで、自分から何か仕掛けることはありませんでした。高度成長期はそれで良かったのかもしれませんが、縮小が予測される経済において、それでは通用しません。

日常の業務を回すだけが経営者の仕事ではありません。それより重要なのは、未来を考えること。会社の進むべき方向、そのためにやるべきことを考える。そうすると、自然に今までと違うやり方や取り組みを実施することが必要になるはず。「従来どおりのやり方でやっていればいい」というなら、経営者は要らないでしょう。

私が一番問題だと思ったのは、「儲かっていなかった」ことです。月次で利益管理をしていたのですが、２０１３年は営業利益がほぼゼロ。会社が存在する意味がありません。また、売上が多い月は黒字、少ない月は赤字。これでは、国内市場が縮小し売上が減少すれば立ちゆかなくなることは目に見えています。それに対して何も手を打っていない。経営者が付加価値を生んでいない状態でした。

考えるべきは付加価値＝アウトプットの増大

「日本の生産性はＯＥＣＤ加盟38カ国中23位」というデータがあります。生産性というのはアウトプットをインプットで割ったものですから、生産性向上のためにはアウトプットを大きくしてもインプットを小さくしてもいいわけです。

これまで日本企業が熱心におこなってきたカイゼン活動は、インプットの最小化をめざすものでした。旭鉄工も同じです。しかし、それでは限界があります。一方、アウトプットの増大には大きな可能性があります。ここでいうアウトプットの増大とは、従来の延長線上の商品やサービスの売上拡大のことではなく、付加価値を高めることです。

日本国内では、市場の縮小が確実です。従来型の売上拡大を経営計画の主眼として置いても、それは絵に描いた餅になる可能性が高い。世の中にない「付加価値の高い」サービスや商品を開発する必要があります。旭鉄工では、従来は製造現場の管理をしていた従業員が他社のカイゼン指導をおこなったり、自社開発したＩｏＴシステムやカイゼンのコンサルティングというサービスを他社に提供するという付加価値（＝アウトプット）の大きい働き方にシフトしているのがそれにあたります。

自分が変わる、周囲も変える

「付加価値を大事にする」という意思表示のため、私が率先してルールや仕事のやり方を変更しました。良かれと思ったことは、何でもやってきました。

●会議時間の短縮
●会議の配布資料の廃止
●形骸化した会議の廃止
●人事異動の活性化
●実力に応じた昇進

また、コミュニケーションのムダも省いてます。

●Slack（ビジネスチャット）の導入
●現場視察を伴わない会議はリモート参加

●私への稟議書の回覧なし、ハンコなし、回覧箱なし（ハンコが必要な場合はＳｌａｃｋに写真が上がってくるのでオンラインで承認）

転籍当初は、たとえば私宛の社内メールですら「お世話になってます。云々」と意味のない定型フレーズが並んでました。

「挨拶はいらない、用件だけ書いてくれればいい。私にムダなスクロールをさせないで」

そうお願いしました。現在、私宛の社内メールはＳｌａｃｋに置き換わりました。そのＳｌａｃｋ上での私の文章に対し、用が足りれば文字で返す必要すらありません。「了解のスタンプでＯＫ、伝われば文字を打つ必要すらない」と言ってあります。

これらは、「徹底的な効率化をおこなう」という意思表示でもあります。すると、従業員のみなさんも、形だけの業務はやらないようになります。

こういう形式的なムダの排除は、社内だけではありません。たとえば、Ｗｅｂ会議の冒頭の「本日はお忙しい中お時間いただきありがとうございます」という挨拶。１人くらいならいいですが、下手すると出席者全員が同じセリフ。時間の無駄でしかありません。「そう思うんだったら早く始めようよ」ということで、余計な挨拶も省略してくださいと、他社の方にもお願いしてます。

自分が変わる、周囲も変える――そういう勇気が大切です。

デジタルで楽をする

旭鉄工のカイゼン活動で常に心がけているのは、「人を楽にすること」です。現状の作業が人の負担になっていないか考え、楽にすることを考えます。カイゼン活動の結果として人に負担がかかるようであれば、それはカイゼンではありません。何かの拍子に元に戻りますし、カイゼン活動に協力してもらえなくなります。

これは製造現場に限った話ではありません。社内のルールややり方の変更も同じです。「楽をする」ことを考えましょう。その多くのケースで、デジタルが活用できるはずです。必要なアウトプットを充足させる限りにおいて、インプットを減らすことは悪ではなく、生産性向上という観点からは善になります。

さらに重要なことは、「楽になるなら使ってもらえる」ということです。身近なところから「デジタルで楽をする」ことに慣れることで、次第に大きなことを考えられるようになります。

トヨタ生産方式はIoTで進化する

旭鉄工は、もともとトヨタ生産方式（以下TPS）に則ったカイゼンをおこなっていました。しかし、TPSの広範な知識を習得するのは容易ではありません。トヨタの生産調査部では、他社から3年程度出向してきた人が、育成のために専従でカイゼン活動を実践しています。それだけ大変ということです。

私自身、トヨタの技術部から畑違いの生産調査部に異動して、3年間修行しました。生産調査部主幹（課長級）時代、製造現場に行くと目につくのは「仕掛けの仕組み」「かんばんの回し方」「在庫の持ち方」「帳票の記入状況」「動作のムダ」などでした。それらが大事なのはもちろんですが、問題を見つけてカイゼンするのは一定の知識と経験が必要です。強い意志と多くの経験と知識を持つ方たちに囲まれて貴重な経験を積むことができましたが、習得すべきことがあまりにも多いために、3年の経験ではひよっこで、高度な知識と経験を必要とするカイゼンは正直難しいです。

そんなカイゼンの敷居は、ＩｏＴによって劇的に下がります。旭鉄工では、ＩｏＴシステム・iＸacsで、生産個数、稼働時間、ＣＴ（サイクルタイム）などのデータが24時間３６５日自動で収集されています。そして、製造現場を短時間見ただけではわからない問題点、詳細な停止の状況やＣＴのばらつきなどが自動でグラフ化され、労せずしてわかります。詳細をドリルダウンして見ることもかんたんです。「停止を減らす」とか「ＣＴを短縮する」といった部分に特化することで、経験と知識の少ない現場の従業員にとってもとっつきやすく、習熟もしやすくなりました。また、カイゼンの結果もデジタルでかんたんに確認できます。

そうなると、問題を見つけた従業員は、それを直そうとするようになりますし、効果が数値で見えるとおもしろくなります。ある種のゲーム感覚ともいえます。ＣＴ短縮と停止についていえば、カイゼンの内容自体はデジタルを使わない従来の方法と基本的に変わりません。ですが、そのスピードと量が段違いになる。それがデジタルの力であり、いわばＴＰＳの進化です。

カイゼンの目的は人減らしではない

よく誤解されますが、カイゼンの目的は人減らしではありません。そもそも生産人口が減少していく中、人手不足が悪化するのは目に見えています。生産性を向上しないと、従来の売上を維持するのも困難でしょう。従来の延長線上の仕事はより少ない人数で効率的におこなって利益を確保し、その利益で従来と異なる付加価値の高い仕事をするのが目的です。

column 儲からないカイゼン

カイゼンのなかには、実行しても利益につながらないケースもあります。たとえば、1人で3つの製造ラインの管理をおこなっている係長が毎日2時間残業していたとします。この係長の残業をゼロにするなら、3つのラインすべてが残業ゼロになるようにカイゼンする必要があります。しかし、以前は1つのラインをカイゼンしただけで、残業がゼロになったかのような数え方をしていました。これでは、実際には残業は減りません。

やりやすいところからカイゼンをおこなうと、往々にしてそのような「儲からないカイゼン」になることがあります。経理の数値をチェックすることで、経理の数値にキチンと反映される「儲かるカイゼン」がおこなわれるようになります。

困難を突破する覚悟を持つ

自動車部品製造業の3つの脅威

日本の自動車部品製造業には3つの脅威があります。CASE、人口減少、そしてカーボンニュートラル対応です。

CASE

CASEとは、モビリティの変革を表す4つの言葉の頭文字をつなげた造語です。

- Connected（コネクテッド）
- Automated／Autonomous（自動運転）

- Shared & Service（シェアリング）
- Electrification（電動化）

ＣＡＳＥの進展により、自動車部品業界には以下のような困難が生じます。

①構成部品数の減少

電動車（ＢＥＶ）の普及に伴い、内燃機関やトランスミッションなどの機械的な構成部品の必要性が大幅に減少します。これにより、エンジン部品や排気システムなどの需要が減少し、部品メーカーは新たな市場を見つける必要があります。

②新たなプレイヤーの参入

ＣＡＳＥ技術の進展により、テクノロジー企業や新興企業が自動車業界に参入し、競争が激化します。これらの新たなプレイヤーは、従来の自動車部品メーカーに対抗する可能性があり、市場シェアの確保が難しくなる可能性があります。

③電子部品とソフトウェアの重要性の上昇

自動車のＣＡＳＥ化に伴い、電子部品とソフトウェアの役割がますます重要となります。自動運転、コネクティビティ、センサー技術、エンターテイメントシステムなど、多くの機能はソフトウェアに依存しています。部品メーカーが従来生産していた部品の重要性が下がり、収益性が低下する可能性があります。

④サプライチェーンの変化

バッテリーや電動モーター、各種センサーなど新しいコンポーネントの増加に伴い、サプライチェーンの構造も変化し、収益性が低下したり、サプライチェーンの外に追いやられる可能性があります。

これらは日本に限らず世界共通の脅威ですが、高齢化の進行する日本は次の課題も抱えています。

人口減少

国立社会保障・人口問題研究所の将来推計（出生中位・死亡中位推計）によると、総人口は２０３０年には１億１６６２万人、２０６０年には８６７４万人（２０１０年人口の32・３％減）にまで減少し、生産年齢人口は２０３０年には６７７３万人、２０６０年には４４１８万人（同45・９％減）にまで減少すると見込まれています。よって、ＣＡＳＥと総人口減少は販売台数の減少に直結しており、限られた仕事の奪い合いがサプライヤー間で始まります。利益を大きく圧迫するのは必至です。

２０１９年には曙ブレーキ、２０２１年にはサンデン、さらに２０２２年にはマレリが事業再生ＡＤＲを申請しました。旭鉄工の仕入先についても、２０１９年に型工作業、２０２１年に高周波焼き入れ業、２０２３年には塗装業の廃業が発生しました。いずれも、利益が確保できないのが理由です。

生産人口の減少は、働き手の減少も意味します。私が旭鉄工に転籍してきた２０１３年から２０２１年までの8年間で、旭鉄工の人数は４９２名から４２７名へと65名減少しています。自然減に加え、新入社員の採用が難しくなっていることによるものです。派遣社員の採用も難しく、常に人手が足りない状態です。

このように、生産人口の減少は、中小の自動車部品製造業を直撃します。生産性向上活動に取り組まないと、減少した仕事量にすら対応できなくなる恐れがあります。「カイゼンが進んで人手が余ったら困るからカイゼンはやらない」という経営者がいらっしゃいますが、少子高齢化の進展に伴い、ますます人は採れなくなります。カイゼンによって人が余って困る、などということにはなりません。

カーボンニュートラル対応

カーボンニュートラルとは、温室効果ガスの排出量と吸収量を均衡させる、すなわち温室効果ガスの排出を全体としてゼロにすることを意味します。２０２０年10月、政府は２０５０年までにカーボンニュートラルを目指すことを宣言しました。全産業における製造業のCO_2排出量の割合は約25％と大きく、削減が強く求められています。

一般的な工場では、電気使用量のうち多くが生産設備であり、カーボンニュートラルを達成するには電力のカーボンニュートラル化と生産設備の省電力化が最も効果的とされています。たとえば、電力源を再生可能エネルギーなどに切り換え、また生産設備を省電力なものに切り換えることが一般的な取り組みです。しかし、たとえば旭鉄工で使用している電力を再生可能エネルギーに変更すると、１ｋＷｈあたり2円のコストアップとなり、トータルで年間３５００万円もの電力料金が上乗せになります。これは、営業利益率でいうと０・２ポイントもの押し下げ要因となります。また、旭鉄工が電力会社から購入している電力を単純に太陽光発電に置き換えるには、43億円の設備投資が必要になります。そもそも、太陽光発電のパネルを置くことのできる場所は限られており、現実的な手段ではありません。

現状、生産性向上活動やカーボンニュートラル対応は必要ないとお考えの会社も多いようです。しかしながら、将来的にはカーボンニュートラルに対応しないと客先によっては取引すらしてもらえなくなる可能性がありますし、企業の責任として対外的なアピールの必要性も大きくなってきます。また、生産性向上活動は始めてすぐに成果が出るものではありませんし、仕事量が減ってからでは労務費削減に結びつけるのは難しくなります。まだ仕事量が見込めるうちに対応を始める必要があります。

「変革を止める＝生き残りを諦める」こと

「3年間何も変えるな、メモだけしておれ」

当時2代目社長であった義父から入社当時に言われた言葉です。何かを変えることを極端に嫌う体質だったのです。また、よく言われたのが「できるわけがない！」です。社長がそんな感じですから、従業員も同じでした。よく返ってきた言葉は「やったことありません」とか「今までこうでした」。挑戦しないほうが楽なわけですから、当然そうなります。もちろん、新しいことに投資する姿勢もありませんでした。

私は当時45歳、従業員数は490名ほどいました。

「変革して生き残らないと従業員も私も困る」

そう考えました。「3年間何も変えるな、メモだけしておれ」と言われたものの、ひと目見てわかる問題がたくさんあるのに何も変えないなら私がいる意味はありません。また、変革するなら外から来て目が新鮮なうちにやるべきですし、「外から来た娘婿はおと

靴箱に刃物が入っていた

なしい」と思われては後から変革できないでしょう。ということで、先代の意向は無視することにしました。

靴箱に刃物が入っていた

変革には既存のルールや組織と相容れないことがあるのは当然です。

「こういう心配がある」
「社内ルールで許されない」
「こう反対する人がいる」

そんな声をよく聞きますが、変革が必要ならばそういった背反や問題を解決、もしくは一定程度許容しつつ邁進するという覚悟を経営者が持つことが必要です。

変革を始めて半年くらい経った頃、私の靴箱に刃物が入っていたことがありました。偶然入るとは思えませんから、おそらく嫌がらせでしょう。けれど、気にしませんでした。変革を嫌がる人がいるのは想定してましたし、「変革を止める=生き残りを諦める」ことですから止められません。

逆に、こう考えました。

「こんなことでしか意思表明できない相手だ。そんなのは怖くもなんともない」

変革を実行するなら、そのぐらいの気概があってもいいはずです。ちなみに、その刃物は10年近く経った今でも、記念にそのまま入れてあります。

人のせいにせず、自分で何とかする

「人は見たいものしか見ない」は、ユリウス・カエサルの言葉として知られています。「確証バイアス」とも呼ばれます。ファクト（事実）は1つであっても、視点や切り口など解釈によって見える現実は変わってきますし、見たい現実を補強するファクトを探すこともあります。いろいろな経営者の方と話をしていると、同じ良いＤＸ事例を見ても、変わりたくないと思っている経営者は

「費用対効果が見込めない」
「従業員の反発がある」
「従業員の能力が足りない」
「弊社には合わない」
「時期尚早である」

といった理由を見つけて「ＤＸを実行する状況でない」ということが現実であると解釈してしまいます。そういう意味では、旭鉄工がＤＸで大きな効果を上げたことは、多くの製造業にとって「不都合な事実＝見たくない現実」なのかもしれません。

そう考えると、銀行や商社、コンサルファームなど異業種の会社の多くが「旭鉄工の取り組みは多くの会社にも役に立つ」と考えてくださる一方で、トライしようとする製造業が意外と少ないのも理解できます。現状に危機感を持っていて、自分ごととして考

える経営者は、「なんとかして自社に応用しよう」と考えます。経営者は、この「確証バイアス」を認識したうえで、物事を多面的に見る努力が必要でしょう。そうでないと変われませんし、競争力の向上もできません。

「こういう理由でできない」
「人がいない」
「先代の理解がない」
「こういう人もいるからできない」

よく聞くセリフですが、旭鉄工もそういう点で特に恵まれていたなんてことはありません。しかし、変革は条件が揃ったからやるなんてものではありません。実行する内容はもちろんその状況や条件で変わるでしょうが、それらを含めて変えていくのが変革のはずです。

「だれ1人取り残さない」の罠
──全員が幸福になる施策などない

「ついてこれない人がいるからDXはしない」

そんな言い訳もよく聞きます。総務省も「誰一人取り残さない」デジタル化の推進を掲げています（令和3年度版情報通信白書）。しかしながら、これをよく読むと「全ての人にデジタルの恩恵を受けられる機会を与える」ともあります。「だれにでも使える」とは書いてません。

変革の際、ついて来れない人がいるのはあたりまえです。「こういう人もいる」「不満に思う人がいる」も同じ。そんなことを言ってると、いつまで経っても何もできません。100%の人が満足する施策なんてありえません。旭鉄工では、まずデジタルを使いこなせる人が使い、だんだんと社内で広げてきました。経営者が想像している以上に、従業員はデジタルを使いこなせるようになります。

ＤＸはＤよりＸ、三ザルを退治する

ＤＸは、Ｄ（デジタルツール）よりＸ（変革）が大事です。Ｄだけではうまくいきません。我々は多くの会社を見る機会がありますが、「変革がうまくいかない会社には３匹のサルがいる」と言っています。

①「見ザル」………問題が見えない
②「言わザル」……情報やノウハウの共有不足
③「使わザル」……経営で活用できない

製造業向けのＩｏＴ（デジタル）ツールは数多くありますが、その大部分は１匹目の「見ザル」部分の解消しか考えていません。その結果、生産性の向上に結びつきません。結局、デジタルツールをうまく経営に融合しきれてないともいえます。

②「言わザル」③「使わザル」の退治には、問題解決の仕組みをつくる、挑戦する風土を構築するという手段が必要です。製造現場にＩｏＴを丸投げしても、効果は出ませ

カイゼンを阻む3ザルと対策

改善を阻む3ザル

見ザル
問題が見えない

言わザル
情報共有不足

使わザル
活用できない

視点	手段
①付加価値ファースト	①問題を見える化する
②困難を突破する覚悟を持つ	②問題解決の仕組みをつくる
③とにかくやってみる	③挑戦する風土を構築する

ん。そして、この②③の猿を退治するには痛みを伴います。そこに覚悟が必要です。

ルールやり方の変更は必然
――幸福の総和を考える

組織・ルールなどの見直しも必要でしょう。

「社内にこういうルールがあってできないのですが、どうすればいいですか？」

そんな質問をしばしばいただきます。「そんなの変えればいい」と私は思います。旭鉄工では、IoTを主としたデジタル技術活用で大きく利益を向上させましたが、そのために会社の組織、仕事のプロセス、風土を大きく変えました。反対も当然ありましたし、問題も起きました。しかし、考えるべきは社内で波風を立てないことではなく、人の幸福の総和です。「背反はあれど、会社の生き残りのためにはやむをえない」と考え、変革を実行し続けました。

当然、経営者自身が全部できるわけではありません。しかし、経営者に覚悟がないのに実行する部下はいません。まずは経営者が覚悟を持ち、未来を考えて、「反対があろうがなんだろうが、強い意志で変革を牽引する」と社内に表明することが必要です。

とにかくやってみる

やらないと取り残される

「なぜ、覚悟をもって会社を変えることができたんですか？」

よくそう聞かれます。ひと言で言うと、「会社の状況が悪かったからやるしかなかった」に尽きます。安定してしっかり利益が出ていたなら、もしくは他責思考であったなら、私は何もしなかったかもしれません。

DXに限らず、私が積極的にいろいろなことに取り組むのは、単純に「やらないと取り残される」と常に思っているからです。モタモタしている間に、新技術を身につけ、競争力を向上させている会社が必ず存在します。それに、そもそも100年に一度の変革期と言われる現状で、生き残れる保証など何もありません。「手遅れにならないようにするには、どんどん新しいことに挑戦するしかない」と考えています。

経営者自身が挑戦し、失敗を経験することで、社員も安心して挑戦することができます。何もしないことがリスクという認識を共有し、組織全体で挑戦を続けることが求められています。失敗は一時的なことであり、それを乗り越えることで学びとカイゼンが生まれます。たとえ止めることになったとしても、それは新たな可能性を開く一歩となることでしょう。

やらない言いわけをしない

「他社はやってるのか」の愚

日本中の会社でよく聞かれるセリフだと思います。多くは「やらない」という判断をするための質問であり、思考停止以外の何物でもありません。織田信長が天下を取れたのは、真っ先に火縄銃を大量に購入して合戦に使ったおかげです。他社でやってないからこそ競争力になりますし、他社にない事例はマスコミにとっても取材の価値があるものになる可能性があります。実際、我々のカーボンニュートラル推進や生産性向上の取り組みは頻繁にメディアに取り上げられましたし、製造現場におけるAIスピーカーやChatGPTの活用はテレビニュースにもなりました。SlackやSalesforceの活用事例なども、積極的に情報発信したことで、サービス提供元が宣伝してくれるようになりました。広告宣伝費だと思えば、開発費なんて安いものです。

映画『トップガン マーヴェリック』の中で、トム・クルーズ演じるマーヴェリックが、マイルズ・テラー演じるルースターに繰り返し言うのが次の言葉です。

Don't think. Just do it!（考えるな、行動しろ）

戦闘機パイロットは、考えている間に撃墜されます。そこまでの極限状態ではないにせよ、我々も同じです。考えすぎると動けなくなり、その間に時代に取り残されたり、他社に出し抜かれてしまいます。停滞は後退と同じ。まずやってみましょう。

背反よりも付加価値増大を考える

弊社の実施事例をご紹介したり、ＰｏＣ（Proof of Concept：概念実証）段階のツールをお見せしたときに、まず背反とか心配ごとについて質問してくる方がいらっしゃいます。「それは考えなくてもいい」とまでは言いませんが、「新しい付加価値をいかに大きくするか」を考えるのが先です。心配ごとでアイデアをつぶすのは愚行でしょう。

付加価値が大きければ、背反や心配ごとをなくす知恵を絞ればいいし、付加価値のほうが大きくなれば背反は許容できるかもしれません。最初から背反を考えすぎると何もできなくなりますし、多くの方はやらない言いわけを探しているように思えます。

「堅実に」「地道に」「慎重に」なんて聞きたくない

あるプロジェクトの推進に際し、「慎重な調査が必要です」という返答が役員から返ってきたことがあります。「じゃあ、調査はどうやって、結果はいつ出るのか」と切り返したら、面くらって何も返ってこない。調査するつもりなんかなくて、そう答えればプロジェクトは止まるだろうと思っていたんでしょう。

本当にできない場合も当然あるでしょうが、やらないための言いわけになっていないでしょうか。やれるように考えてみるほうが意味があります。

「へー！」「なるほど！」「おもしろい！」という大胆な夢のあるアイデアが聞きたい。

普通じゃおもしろくない。

いつもそう思っています。

費用対効果を求めて挑戦を萎縮させない

旭鉄工は、労務費だけで年間4億円の改善効果を出しました。それだけにとどまらず、ＩｏＴデータを会社経営の多くの面で活用することにより、同じ売上で比較して営業利益は10億円上乗せしました。また、カイゼンに対する前向きな風土が醸成されたことにより、２０２１年秋に始めたカーボンニュートラル推進においても▼26％もの電気使用量低減を素早く実現しました。

私自身も最初からここまでできるとは思っておらず、会社が生き残るためにとにかく始めました。もし最初から費用対効果を求めて挑戦をせずにいたら、一時的な出費はなかったかもしれませんが、今頃は会社がなかったはずです。経営者が自らの判断で社員とともに挑戦する姿勢を見せることによって、社員のモチベーションも向上しますし、企業の成長につながるイノベーションが生まれます。それは、数字で測ることのできない企業の競争力だと思います。

旭鉄工では工場見学で年間400名程度を受け入れています。その際にお客様からご相談を受けるのはシステムの話もありますが、多くが社員のモチベーション向上や経営者を動かすことに関する悩みです。まちがいなく担当者は悩みを持っているので、経営者自身がリーダーシップを発揮し、企業全体を引っ張る必要があります。

とりあえずやってみるからうまくいく

「もっと先を見通して行動してるのかと思ったら、じつはそうでもないんですね」

マスコミの方から多くの取材を受ける中で、2回ほどこう言われたことがあります。まさにそのとおりで、新しいことをやるのに明確な計画や見通しを立てるのは難しいです。

　カーボンニュートラル推進がまさにいい例で、2021年の9月に「CO_2排出量の見える化をしたい」と思い立った時は「iXacs（アイザックス）の機能を流用してできる気がする」くらいにしか考えていませんでした。でも、社内のみなさんの協力のおかげで、11月頭には自社排出量の95％が10分ごとに見えるようになりました。そこから「CO_2低減に使えるようにするにはどうしたらいいか」と考え、機械学習の適用を含め試行錯誤するうちに排出量のムダを見える化する技術を思いつき、2022年5月に実用化しました。最初から計画していたら、逆にこんなことはできません。まさに「とりあえずやってみる」の成果の最たるものです。

　また、「情報は発信する人のところに集まる」と考えています。私がSNSで会社のできごとや取り組みから趣味の話まで幅広くオープンにしているのはそのためです。

　ジタバタして会社を良くしようとしていると、協力してくれる従業員が出てきたり、社外のメンバーが現れて助けてくれたり、知り合いを紹介してくれたり、仕事を紹介してもらえる、ということも頻繁にあります。

方向を明確に示して任せる

仕事を進めるにあたり、一般的にはルールとか制度を整備して進め方を細かくチェックして指示あるいは注意する、というやり方になりがちです。しかし、進むべき方向やビジョンが明示されていなかったり、逆にやたら細かく規定されすぎて従業員が自由に動けない、あるいは動きにくいというケースが多いと考えています。

そもそも、経営陣がすべてをコントロールするのは限界があります。方針や進むべきところを示して、そこに至るルートは自由であるとして、一緒に考えつつも進み方は従業員に任せることが必要です。逸脱したり、ちょっとした変更で楽になるなどの場合のみ修正をすることで、従業員の知恵を引き出し、自発的な行動を促すことが大切と考えています。

「うまくいったらラッキー」

旭鉄工本社製造部に貼ってある掲示です。これくらいの気概でチャレンジしてもらえ

うまくいったらラッキー

何事も恐れずチャレンジ!

成功したら ラッキー!!

アイデア出して改善
社長をびっくりさせよう

るとうれしいです。

もちろん、これは私がお願いした掲示ではなく、自主的に作成されたものです。こういう掲示が現場主導で作成され、掲示されていること自体がうれしく思います。

第2章

見える化すべきは数値ではなく問題

「はじめに」において、会社を変革するポイントとして次の3つを挙げました。

1. 問題を見える化する

2. 問題解決の仕組みをつくる

3. 挑戦する風土を構築する

旭鉄工の変革の原点は、製造現場の問題点をデジタルで見える化し、カイゼンのPDCAを高速化したことです。

まずは「問題を見える化する」手法について本章では述べます。

問題がないのではなく、見えてないだけ

見えない問題は直らない

　私がトヨタの生産調査部の主幹（課長級）であった2011年6月、南相馬の会社の工場に長期出張していました。そう、東日本大震災への対応です。震災による混乱の中、その工場はトヨタのみならず多くの会社に部品を供給しており、生産が滞ると多くの会社の工場が止まってしまいます。円滑な生産のための改善が使命でした。

　現地に赴いてみると常時半分程度の製造ラインが止まっている状態でした。問題となっている製造ラインは前工程から来た親指程度の大きさのゴムを原材料として金型の上に10数個並べ、プレスで圧縮して15分程度加熱して成形する加硫と呼ばれる工程でした。観察してみると、原材料と金型がどこにあるかわからない、生産スケジュールが頻繁に

変更されるうえ共有されていないなどの問題点がありました。

原材料や金型が見当たらないために作業者は指示どおりの部品を製造できないことがあり、とりあえず手近にある原材料と金型を使って作れるものを作っていました。しかし、見つからない原材料は（実際はあったとしても）前工程にオーダーするため、余計に原材料があふれ見つけにくくなります。結果として「不要な原材料と完成品はたくさんあるけれど、必要な原材料と完成品はない」という状態になっていました。

問題点が見えると、現場は直したくなる

必要なものを必要な時に必要な量だけ作るために、私は次のことをおこないました。

①原材料と金型の置き場所の整理と明示
②原材料の保管用冷蔵庫の中身の明示
③生産スケジュールの共有（巨大な紙による貼り出し）
④原材料と金型の準備状況の見える化（あるのかないのか、ないならいつ入るのか）

高度なカイゼン手法を使ったわけでもITを導入したわけでもありませんが、これらの施策が徐々に効果をあげていたある朝、「どうやったらもっとうまく生産できるか」というミーティングが現場で自主的に開催されていました。この時私は「問題点が見えると現場は直したくなる」と体験したわけです。私が現場に入ったときに半分程度しか動いていなかった製造ラインが3週間できっちり動くようになりました。以来、「見えない問題は直らない」と言い続けています。

「ウチの製造ラインはあまり止まらない」
「もう改善してるから、そんなに向上の余地はない」

そう仰る経営者の方は多いです。しかし、実際は問題がないのではなく見えていないだけです。たとえばチョコ停（チョコっと停止）が多くても、作業者はその場で処置して生産を続けてしまいますから、上司に報告が上がりにくい。部長や課長ですら知らない製造ラインの問題を経営者が知ることができるはずもありません。旭鉄工でも「製造ラインの可動率（動かしたい時に製造ラインが動く割合）は80％である」と仮定して工場のマネジメントや原価計算をおこなっていました。当時の多くの製造ラインの可動率の実力値は50～60％程度でしたから、問題が全然見えていないわけです。
また、ある会社に視察に行った時のこと。メインのプレス機のところに「停止2時間以上」との表示が出ていました。その機械が止まるとその後工程である製造ラインも止まるような工程設計だったので、おそらくほぼすべての稼働が止まっている状態。しかし、視察が終わって経営陣のみなさんと対談する部屋に入ると、「生産性」と書いた日々の数値が張り出されており毎日90％以上の数値が並んでいる。「そんなわけない」と思いました。可動率90％はレベルの高い数値です。ラインを観察していて、停止が少ないという印象になるはず。95％ともなると、停止したらすぐ直して再稼働させないと達成できません。そこで「この〝生産性〟の定義は何ですか？」と質問したら

「生産性です。何の数値かはわかりません」

との回答。おそらく、その生産性の定義もしくは把握の方法が、現場の実態を反映していないのでしょう。「たまたま」視察の時に止まっていたのではなく、「またまた」止まっていた可能性が大です。現場の実態がキチンと反映される手法で数値で問題を把握する必要があります。

効果が見えればカイゼンは楽しい

じつは、２０１０年8月に生産調査部に異動してからこの南相馬に派遣されるまで、生産調査部で学んだトヨタ生産方式（以下、ＴＰＳ）に興味が持てず仕事が楽しくありませんでした。トヨタ自動車に入社して以来、技術部で担当していた車両開発のほうがずっと楽しかったからです。しかし、この東日本大震災の復興のため派遣された南相馬の会社でカイゼンにより目に見えて稼働状況が好転する経験をして以来、カイゼンが楽しくなりました。「効果が見えればカイゼンは楽しい」と、この時学びました。

ｉＸａｃｓを活用してカイゼンをおこなうと、自分でやったことが自動でデータ収集され、すぐに数値で見えます。これが楽しいのです。人手に頼ってカイゼン効果を測ろうとすると、その測定自体が大変なのでこうはいきません。ＩｏＴを活用する意味が大いにあります。

旭鉄工が重視する3つの見えない問題

製造現場の見えない問題のなかでも旭鉄工で重視しているものは3つあります。

①設備の停止
②サイクルタイムの遅れ
③エネルギーの浪費

①設備の停止

多くの会社では、製造設備の停止を把握できていません。TPSに則ったカイゼンをおこなう会社などで把握しているケースもありますが、その多くが人手に頼って停止時間を記録しているのが実態です。その場合、たとえば実際は7分停止した場合でも5分と短めに記録したくなりますし、そもそも短時間の停止は記録されません。旭鉄工もそうでしたが、結果として、実際の停止よりも2割程度短く記録されることが多いようです。なので、「可動率は80％です」といっても、実際は60％程度になります。
では、20％の停止による年間の労務費のムダはどれくらいでしょうか。

5000円×16h×244日×20％＝390万円
（時間労務費5000円、1日16時間・年間244日稼働、作業者1名）

もちろん、それぞれのラインの事情は異なりますが、オーダーとしてはこのくらいになります。
また、営業が「儲かっています！」と言っていたのが、正確な原価をはじいてみると赤字だったこともありました。

②サイクルタイムの遅れ

製品が1個生産される時間の間隔をサイクルタイムといいます（以下CT）。CTを人手で測定するのは手間がかかることから日常的に測定されることはなく、製造ラインを敷設したときのみ測定という会社が多いようです。

旭鉄工でカイゼン活動をおこなうなかで、CTは常時変動することがわかっています。作業者の交代、作業者の疲れ具合、あるいは設備の温度や経時劣化でも変わってきます。それなのに、測定しない限りその変動に気づくことができません。たとえば、10秒のCTが1秒遅れて11秒になったところで気づくことはありません。たかが1秒の遅れでも、労務費の大きなムダとなります。

5000円×16h×244日×80%×1÷11＝年142万円
（時間労務費5000円、1日16時間・年間244日稼働、可動率80%、作業者1名）

③エネルギーの浪費

昼休みに事務所の蛍光灯を消灯している会社は多いと思います。旭鉄工でもそうです。しかし、製造現場はどうでしょうか？　旭鉄工では、1・6kWもの待機電力を消費する製造設備の多くが、昼休みや稼働終了後も電源が入ったまま放置されていました。たとえば、旭鉄工 西尾工場の製造ラインの電気使用量のうち、きちんと製造に使用されている電気使用量は3割に過ぎませんでした。

「そんなにはムダにしていない」とお思いになる方は多いでしょう。私もそうでした。しかし、数値化してみると一目瞭然だったのです。

「蛍光灯を消して省エネした気になっていた」

とは、現場のカイゼンメンバーの言葉です。それは結局「問題が見えない」からです。問題が見えてないから、製造現場の1・6kWの待機電力はムダにしたまたいして電力を使っていない蛍光灯を消して省エネした気になるのです。

24時間365日データを自動収集し、問題を見える化する仕組みをつくる

トヨタと同じようには管理できない

私はトヨタ自動車の生産調査部でカイゼン活動を学び、実践してきました。そのため、TPSに則ったカイゼン活動のやり方や、その基本であるデータ収集の重要性は理解していました。しかし、トヨタと同じやり方を旭鉄工でおこなうのは、おもに人的リソースの面から無理がありました。

たとえば、TPSでは「生産管理板」というツールで稼働状況を記録しますが、人的リソースが不足していたり、製造ラインの特性や管理スパンの制約があったりして、記入が困難なことが多いのが実際です。他社でも、記入ができなかったり、記入のために

専属の人間を配置したりしています。

また、カイゼン活動というのは、各種データ収集に時間と人手がかかります。TPSには「時間は動作の影」という言葉があります。「動作がばらついたらそれに要する時間もばらつくので、時間を測ろう」という考え方です。そのため、TPSに則ったカイゼン活動においては、一定時間ストップウォッチを使ってCTとそのばらつきについて把握します。これを人手でおこなうのは高コストです。たとえば、CTを実測しようとすると、ストップウォッチを持って設備や人を観察して時間を計測し、その結果を紙に書きとめます。そして、それをPCでExcelに打ち込んで平均を求める、といった手順が必要になります。1つの品番で3～5時間程度必要です。必要な作業ではありますが、ある断面のデータに過ぎませんし、時給5000円とするとCTの数値1つ求めるだけでもかかるコストは1・5～2・5万円くらいになります。手間がかかるからやれない、となります。やったとしてもデータ収集で現場が疲弊し、せっかく見える化した問題点を解決できなかったり時間がかかったりします。これ以外にも大量のデータがカイゼン活動には必要ですから、中小製造業にとっては大きな負担になります。

データの収集と処理はシステムに任せる

現在、旭鉄工では200以上の製造ラインの稼働情報がIoT技術を使ったモニタリングシステム・iXacs（アイザックス）で24時間365日自動で収集され、グラフを用いて問題がわかりやすい形で表示されます。人手でデータ収集・グラフ化するのと比べ、圧倒的に速くて安くてかんたんで低コストです。これまで認識できなかった長期間に渡る問題も見ることができますし、「忙しいから」「人がいないから」「やり方がわからないから」などというカイゼン活動をやらない理由もなくなります。一方、見えた問題を現地現物で確認しカイゼンするのは人にしかできず、そこに価値があります。「付加価値ファースト」です。

IoTを活用して24時間365日測定することで可能になることも増えます。たとえば、「製造現場で作業をする人の様子を動画で撮ってAIで解析し、差があったら警告を出す。その時の画像を動画で見て確認できる」というソリューションがあります。素晴らしい技術ですが、高コストですし何が問題かは結局人間が動画を見て見つける必要があります。であれば、基準から大きく外れた作業時間を検出して警告を出すようにすればコストをかけずに対策できます。現在、数十の製造ラインではリアルタイムでカメラが製造ラインの中の様子を録画しており、ｉＸａｃｓが停止と判断した時に何が起こっていたかをワンクリックで動画で確認できるようになっています。結果として、前述の高価なＡＩソリューションと同じような効果を出しています。

iXacsの基本的な動作アルゴリズム

ｉＸａｃｓは、設備にセンサーを後付けし、そのセンサーをつないだ送信機から無線で受信機にデータを飛ばし、それをＡＷＳ（クラウド）にアップロードします。そこで整理・分析されたデータを、ＰＣやスマートフォンのブラウザで開いてリアルタイムに確認できます。

後付けセンサーの役割は、製品が1個生産されたタイミングを検出することです。従来のＣＴ測定では、製造設備あるいは作業者が1サイクルごとに1回おこなう動作を見出し、そのタイミングでストップウオッチのボタンを押して測定をおこなっていました。その動作の代わりに後付けセンサーでパルスを発生させています。後付けセンサーを製

iXacsの構成と基本原理

iXacs 基本構成

センサー

送信機

受信機

クラウド

AWS

サブスクリプション

後付けセンサー orメーターがパルス生成

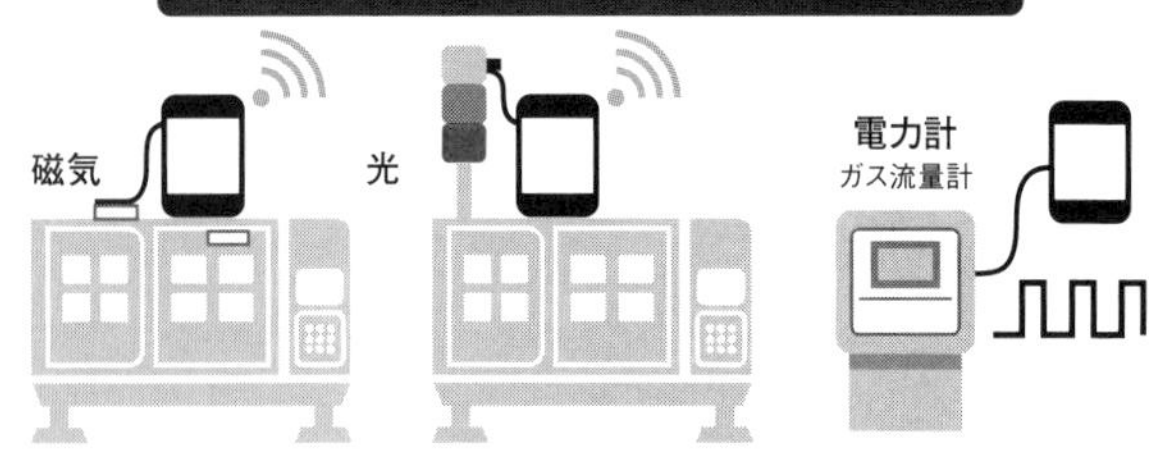

センサーの役割

～ ストップウオッチの代用 ～

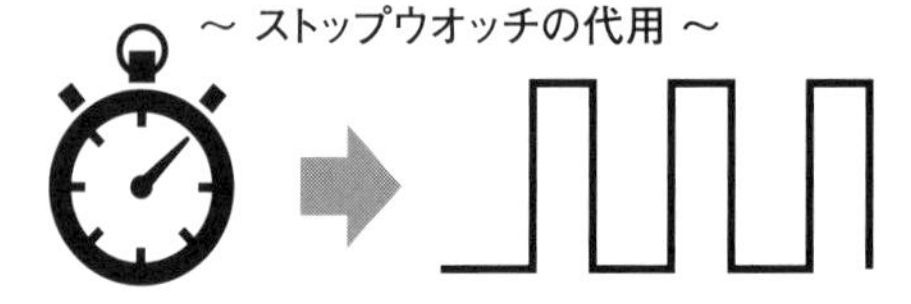

パルスの使い方

(生産個数、CT、遅れ・停止)

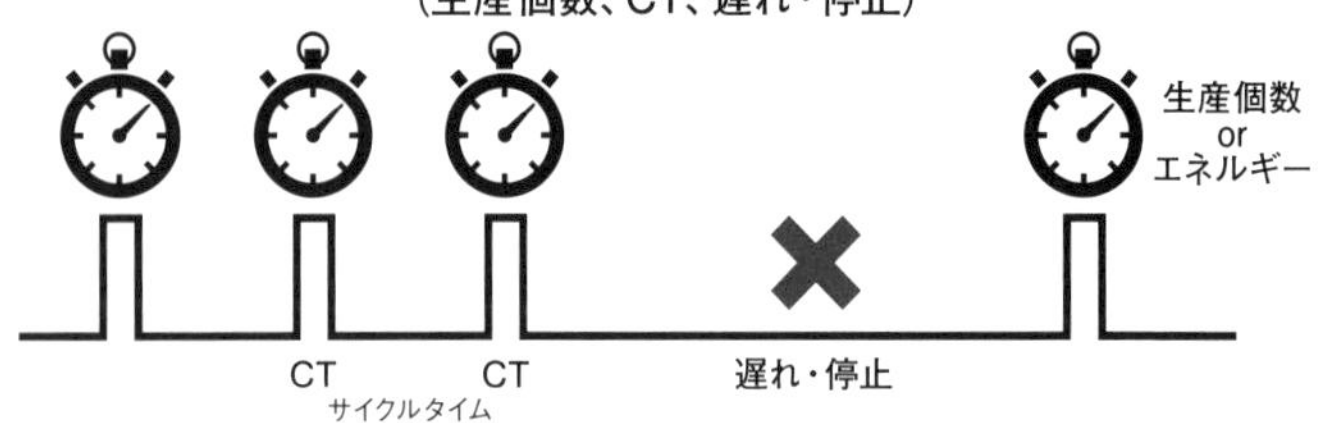

製造ラインの稼働状況とエネルギー使用量を自動測定

造ライン単位の最終工程に近い場所に取り付け、パルスの数を数えれば生産個数がわかりますし、パルスの時間間隔を測ればサイクルタイムがわかります。そして、来るはずのタイミングでパルスが来なければ「製造ラインは停止している」と判定し、アラートを出すとともに、その次のパルスが来るまでの間隔から停止時間を測定します。

後付けセンサーは、光センサーとリードスイッチ（磁石）の2種類です。扉の開閉、シリンダーの往復、シャフトの回転など1サイクルに1回おこなわれる動作を見つけて、そこにセンサーを後付けすることで、かんたんに稼働のデータが取れるようになります。設備の制約が少ないのも特長です。また、PLC（Programmable Logic Controller）などから直接信号を取ったり、光電管などまったく別のセンサーを接続することも可能です。

iXacsで確認できるおもな項目は次のとおりです。

- リアルタイム稼働状況
- 品番ごとの生産個数
- 生産個数
- サイクルタイム
- 稼働時間

●可動時間
●停止時間
●停止要因

また、製造ラインの稼働状況を金額換算して考えるために、各製品ごとに各工程で与えられる付加価値額がデータベースに入っており、生産個数にかけることで生産金額（付加価値額）、稼働時間あたりの生産金額やロス金額などの指標も算出して、問題を見える化しています。さらに、CO_2排出量や電力・ガス消費量についても問題が見える化されます（詳細は第7章で説明します）。

人の手を煩わせず数値を分析し問題を見える化

「見える化すべきは数値ではなく問題」

それが旭鉄工とｉ Ｓｍａｒｔ Ｔｅｃｈｎｏｌｏｇｉｅｓの考え方です。問題を発見するには、数値を収集して並べるだけではなく、分析して問題を見える化することが必要です。数値の羅列は現場に見てもらえません。「分析とは比較すること」であり、その対象は分析の目的に応じて決める必要があります。トヨタ生産方式においてもカイゼンの前に標準を作り、それとの違いを把握します。標準がないと、異常がわかりません。

ＩｏＴでのデータ収集が本格化しだした２０１５年頃は、自動で収集されたサイクルタイムのデータのばらつきを把握するために、ＰＣの画面上でＥｘｃｅｌにペーストし、ヒストグラムを描いていました。その手間を省くために、グラフ描画を自動化しました。グラフ自体に付加価値はありますが、グラフを作成する作業には付加価値がありません。これも「付加価値ファースト」です。人の手を煩わせず問題を見える化するためにグラフを自動で描画しています。

分析の比較対象は、目標、類似品の実力値、時間経過に対する傾向や変化、寄与度などになります。以下、見える化で現れる問題の例を示します。

稼働時間

● 朝一の稼働開始が遅れる

サイクルタイム

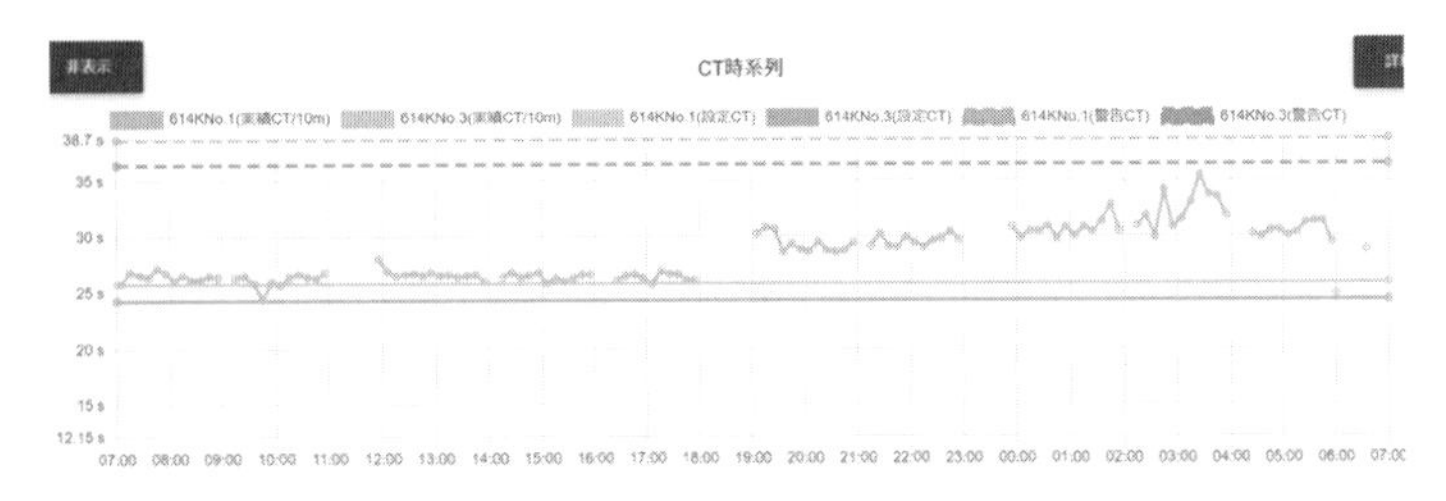

- ●昼休み終了時、稼働開始が遅れる
- ●昼休み前や終業前など早めに稼働が終了している
- ●4S（整理、整頓、清掃、清潔）の時間が長い、ばらつきが大きい
- ●段取り時間が長い、ばらつきが大きい

サイクルタイム

- ●人による違いが大きい
- ●ばらつきが大きい
- ●時間が経つと遅くなる
- ●想定しているサイクルタイムとの差が大きい
- ●遅れの累積時間が大きい

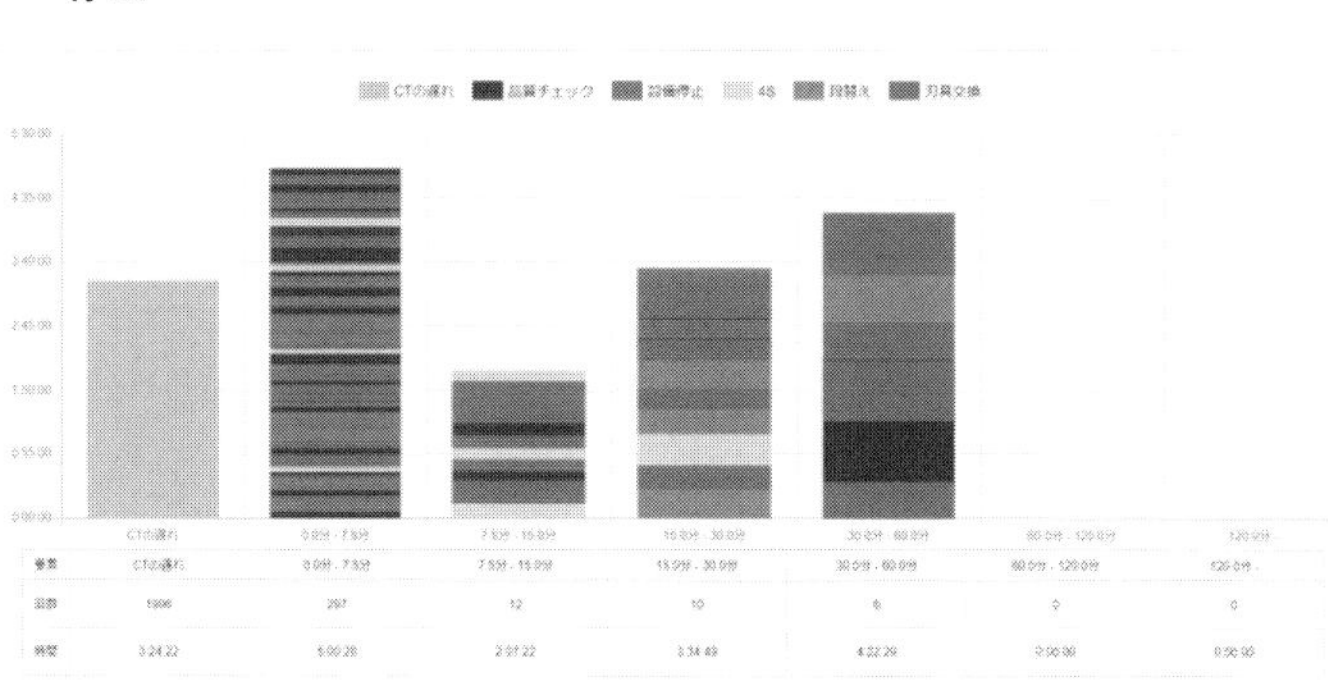

停止

- 合計時間が長い
- 頻度が多い
- 特定の時間の停止が多い
- チョコ停が多い
- ドカ停が多い
- 特定の停止要因の寄与が大きい

生産・ロス金額、稼働時間あたりの生産金額

- 生産金額が少ない
- ロス金額が多い
- 稼働時間あたりの生産金額が少ない

CO_2排出量、エネルギー消費量

- 排出量が多い
- ムダな排出量が多い
- 停止電力が多い
- 待機電力が多い
- 特定の時間のムダな排出量が多い
- 工場マネジメントが不適切
- 電源のオンオフ管理が不十分

など

これらの問題の裏には、次のような要因が隠れています。

- やりにくい作業
- 時間のかかる作業
- 習熟度不足

●標準作業不遵守
●不適切な工場管理
●不適切な売価設定

IoTは監視ではなく現場のアピールの道具

「IoTを使うと監視されていると現場が嫌がりませんか？」

そのような質問を時々受けます。「悪化してるじゃないか！　何をやってるんだ！」という具合に、経営者や管理者が現場を叱責する道具に使ってしまうとそうなるでしょう。

弊社の従業員は「i-Xacs（IoT）はアピールの道具です」と言います。

「こんなにカイゼンしました！　見てください！」という上司や周囲へのアピール

カイゼンした前後の稼働状況のデータが数値で明確に示される。ごまかしも効きませんが、成果としてアピールするのもかんたんです。

「こういう停止がこんなにあって困ってるから直しましょう！」という協力を求めるためのアピール

自分たち現場だけでは直せない問題についても、定量的な数値で社内的にアピールし、会社として問題を解決する動きを取ることができます。そのアピールをしっかり経営者や管理監督者が受け止め対応していくことで、カイゼンが進むことになります。

経営者や管理監督者がやるべきは

●成果に気がついたらほめる

●悪化に気がついたら自分ごととして一緒になって対策を考えることです。そうすることで、現場もどんどんカイゼンするようになります。

データ収集にあたっての考え方

収集するデータは目的から決める

ＩｏＴというと、とにかく多くのデータをとるイメージがあるかもしれませんが、旭鉄工ではありとあらゆるデータを取ったりはしません。多くの会社の方と話をする中で「ああ、これはうまくいかないな」と感じることが頻繁にありますが、データ起点で考えると、

「とにかくデータを取らなくてはならない」

「せっかくデータを取ったんだから、使う方法を考えよう」

などと手段が目的化し、話がおかしくなります。何のＰＤＣＡを回すのかを先に考え、

それに必要なデータを収集するというのがあるべき手順です。その中でも優先順位を付ける必要がある場合は、

- データ収集に人手がかかる
- 人手に頼ると精度が悪い
- 多くの設備やラインに共通する
- 経営に近い数値

といった種類のものを優先的に自動化してデータ収集することが優れた費用対効果につながります。データの収集・処理・保管は、いずれもお金がかかります。目的を明確にし、データを収集する必要性を判断することが大切です。

旭鉄工では、生産個数、CT、可動率などに絞ってデータ収集を開始しました。現場に立ってストップウォッチを使って設備や人の動きを測定するのは大変なうえに精度が悪く、データ処理に時間もかかる。これらのデータを自動で取れれば、楽だし、横並び比較もできるし、カイゼンのPDCAを回すうえで必要で、用途も明確。上記のすべてに当てはまるからです。

経営的な視点で考える

製造現場についていうと、稼働状況をきちんと見る経営者の方もいらっしゃいますが、「可動率が何%」といっても興味を持つ方は少ないのが実態です。興味を持つのは、売上、労務費、利益などの金額であり、現場で使われる管理指標とは異なります。

製造現場の利益は、ざっくり次の式で表現できます。

利益＝売上−材料費（部品購入費）−労務費−エネルギー費−減価償却費−その他経費

これらの費目に直接関係する問題を見える化することが、大きな効果につながります。

iXacsでは、生産個数、稼働時間、エネルギー消費量が見えるようになっており、次のように経営に直結した数値に変換できます。

【経営KPI】　　　【IoTデータ換算方法】

- 売上　　　　＝生産個数×売価
- 労務費　　　＝稼働時間×人工×時間単価
- エネルギー費＝エネルギー消費量×単価

稼働以外のデータを取りたいという話もよくあります。たとえば、「設備の振動を取って予兆保全をおこなうことで、保全の費用低減や不良率を低減する」という手法をよく耳にします。旭鉄工でいえば、コストに見合ったリターンはありません。

以前、予兆保全で防止できそうなトラブルの内容や回数を西尾工場の保全のデータから洗い出してみました。その結果、全体の停止時間に対するその種のトラブルの合計時間は0・8％弱と小さいうえ、80種類弱の停止があり、1件あたりののトラブルの時間は0・01％程度にすぎないことがわかりました。予兆保全は1件あたり千万円単位の費用がかかりますから、とても回収できません。

もちろん、工程や設備によっては予知・予兆保全が効果的なケースもあるでしょう。たとえば、設備メーカーが複数の納入先で稼働している自社製の設備のデータを集約することで効果を出すことも可能でしょう。しかし、旭鉄工のような部品加工業では特定の事象についてのデータが少なく、ハードルが高いように思えます。また、「振動や温度をモニタリングしても振動のデータ↓停止時間や不良削減↓稼働時間削減↓労務費や材料費削減という順で影響しますから、振動のデータは経営から遠い。局所的な効果に留まるでしょう。

我々は限られた種類のデータしか収集していませんが、それらが生産（付加価値）金額、労務費、設備投資など経営に直結した数値につながるデータであるからこそ、製造ライン間であっても共通指標として比較できますし、製造だけなく原価管理や営業、さらには経営指標にもなり、大きな成果があがります。

データの精度より活用・実行

私は前職で2000年代に自動車の運動性能開発をおこなっており、計算で運動性能を予測していました。車両開発におけるデジタルツイン（実世界の製品やプロセスをデジタル空間にモデル化し効率的なプロセス管理、品質管理、製品開発をおこなうこと）

といえるでしょう。

しかし、衝突性能のような実験に大きなコストがかかる性能について大規模ＣＡＥは大きな効果を発揮しますが、運動性能の場合はＥｘｃｅｌ＋αで基本的な性能計算と実車を用いた実験を併用するのがコスパが良い、というのが当時の私の感触でした。製造現場でも同様です。「どういう設備を、どう配置すれば、どのくらい製造能力を発揮できるか」といった簡潔かつ基礎的な検討にはデジタルツインは大きな効果を発揮しますが、現場で起こるトラブルや問題点を忠実に再現しようとするとコストが急上昇します。ここでも、現実をデジタル空間に再現することにコストと時間をかけすぎず、「効率的なプロセス管理、品質管理、製品開発をおこなう」という目的を見失わなず活用するべきです。

その意味では、データ収集にあたって「必要以上の精度を求めない」ことも重要です。必要な精度は目的によって決まります。たとえば、私の前職である自動車の開発ではレーザーを用いた車速計が必要なケースがありましたが、自動車のスピードメーターの誤差は通常の使用では問題になりません。製造現場でも同様です。設備の制御に使うのであれば、精度、遅延、セキュリティについて高度なレベルが求められますが、生産性や省エネのカイゼン活動であればそうでもありません。ｉＸａｃｓは無線通信を使用するため、電波状況によって１％以下のデータの欠損が起こるケースがあります。その誤差が許容できないと仰る方がいらっしゃいますが、多くの会社では可動率（製造ラインがきちんと動く割合）は40～50％程度にとどまります。誤差の数十倍停止が多いわけです。有線接続によりこの誤差はなくなりますが、運用上の利点は小さいのにコストが上昇します。精度を追求するよりも、データを活用したカイゼン活動をさっさと始めるほうが儲かります。

対象ラインは効果が大きそうなところを選び、スモールスタートで効果を出しながら広げる

「80％の結果は20％の原因によって生じる」とよく表現されます。ビジネスにおいては、80％の利益や問題が20％の商品や要因から生まれると言われます。モニタリングの対象も同じことです。全ラインをＩｏＴでモニタリングする必要はありません。ＥＲＰシステム提供会社のような見える化が目的であれば網羅性が必要でしょうが、カイゼンにより利益を向上することが目的なら網羅性は重要ではありません。

旭鉄工も、最初は数ラインからモニタリングを始めました。

●残業が多い、休日出勤がある
●エネルギー消費量が多い
●主力商品
●代表的な工程

まずはこういう製造ラインを対象とし問題を見える化しましょう。そうすると、思っている以上に問題が多いことがわかるでしょう。目的は見える化ではなく利益の増大ですから、スモールスタートでいいのです。まずは見えた問題をしっかり直すことが全社的な効果につながります。

第3章
儲かるカイゼンの仕組み

前章では「問題を見える化する」について述べましたが、見えた問題を直して利益につなげてはじめて意味があります。本章では「儲かるカイゼンの仕組み」について述べます。

経営と現場のカイゼンをつなげる

カイゼンは製造現場主体でおこなうものですが、経営陣まで一体となって推進することで、現場のモチベーションが上がり、複数の部署が連携できるなどして大きな効果を早く上げることができます。

デジタルの力を借りてPDCAを高速に回す

旭鉄工のカイゼンを支えるのは、デジタルによるPDCAの高速化です。

P：デジタルで問題を発見し
D：現地現物で対策をおこない
C：デジタルで効果を確認し

A：現地現物で次のアクションにつなげる

これまで人手と時間がかかっていた問題の発見と効果の確認が圧倒的に楽に速くなることで現場の負担が減りました。また、意識が変わって、これまであたりまえだと思っていた作業について「どうすれば楽になるか」を考えるようになりました。

もう１つ大事なのは、「効果が見えるとカイゼンが楽しくなる」ことです。今までは、効果を確認すること自体に手間と時間がかかっていました。それがｉＸａｃｓを使うと自分のやったことの効果がすぐに見えるので、やる気が大きく上がります。

なお、ＩｏＴを活用することで現地現物が不要になるなどということはありません。データが指し示す問題の詳細が何であるかは現地現物で観察しない限りわかりません。観察の結果として「あの数値が意味するのはこの現象である」と認識できるわけですから、現地現物が最も大事であることは変わりません。

「ＩｏＴがなくてもカイゼン活動はできますよね？」と時々聞かれます。もちろんそのとおりで、従来のアナログなやり方でもＰＤＣＡを回すことはできますし、カイゼンもできます。しかし、「デジタルで問題発見」と「デジタルで効果確認」ができることにより、圧倒的に低コストでスピード感を持ってカイゼンを進めることができるようになり

デジタルでPDCAを高速化

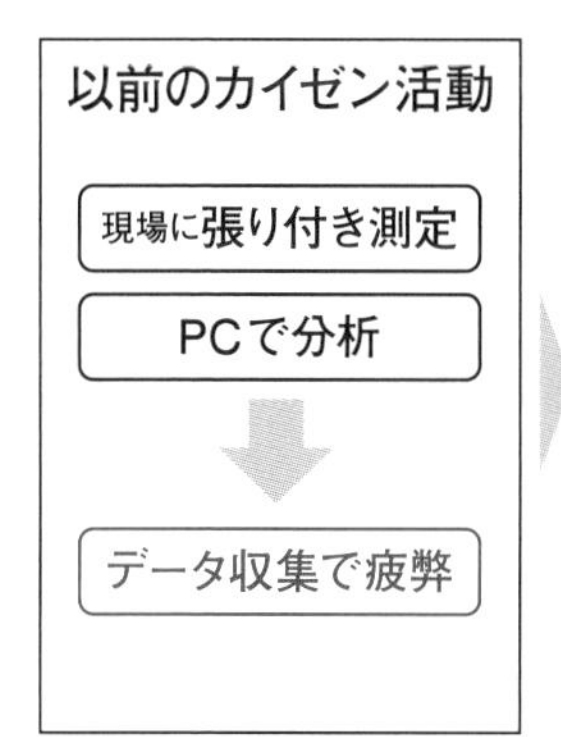

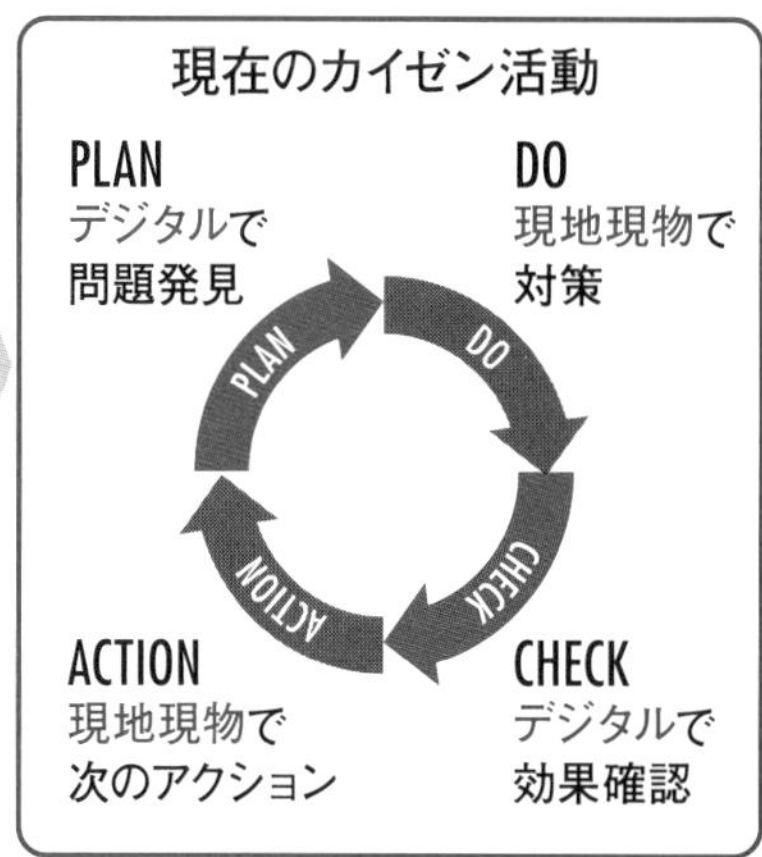

対策実施（高付加価値）に集中できPDCAが高速化

ます。

　また、「デジタルで問題発見」では従来では見えなかった頻度の問題も発見できますし、「デジタルで効果を確認」では今まで効果なしとしていた0・1秒以下の単位で効果も確認できます。「カイゼンが楽になる」のです。そして、対策を考えて実行するという、人にしかできない高付加価値の部分に注力できるようになります。「付加価値ファースト」です。その結果、デジタルによるＰＤＣＡの高速化が可能になります。

　さらに、カイゼンの結果がデジタルで楽に確認できると「カイゼンが楽しくなる」のです。これはじつに大きなメリットです。

column

「カイゼン」と「改善」の違い

「カイゼン」と「改善」という言葉は、異なる意味を持っています。漢字の「改善」は、問題を修正して良くすることを意味し、問題がない場合は改善する必要がありません。一方、「カイゼン」というカタカナの言葉は、すでにうまくいっているいることをより良くすることを意味します。「カイゼンに終わりはない」というTPSの考え方が「カイゼン」という表現に込められています。

製造ラインの目標を経営とリンクさせる

カイゼンには目標が必要です。各製造ラインのカイゼンの目標は経営とリンクしています。旭鉄工では、各種経費の予測値に労務費▲2%、経費▲3・5%、減価償却▲3%をかけたものが、会社全体のカイゼン金額の目標になります。そして、それが各部・

経営と現場のカイゼンをつなげる

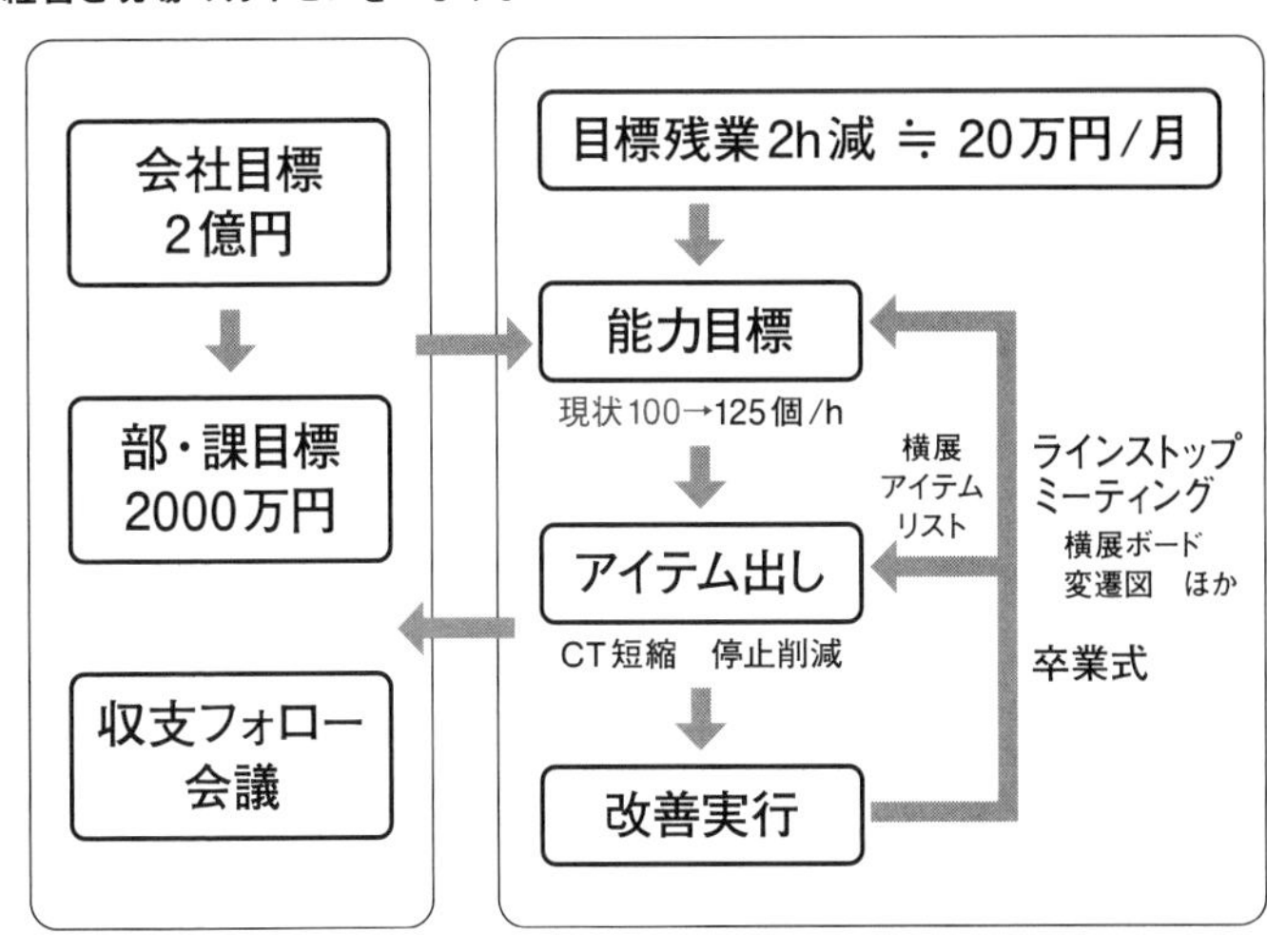

各課に割り当てられ、その目標を達成するためにカイゼン計画を作成します。ここでは、労務費の低減を例に、その流れを述べます。

カイゼン対象ラインを選定する

労務費を低減するために、残業もしくは休日出勤が発生しているか、近い将来発生する製造ラインを選びます。そこで1日の残業を2時間低減すれば、月約20万円の労務費が低減できます。予想される効果額の合計が割り当てられたカイゼン目標額に達するまで、複数の製造ラインを抽出します。

「できる目標」ではなく「必要な目標」を設定する

次に、選定した製造ラインの能力目標を算出します。「残業ゼロ」「休日出勤ゼロ」のいずれが目標であっても考え方は同じです。

「1時間あたりの生産個数を増やすことで稼働時間を減らす」

というものです。

たとえば、定時が8時間である製造ラインで、2時間の残業があるとします。目標は「残業ゼロ」です。それを、製造ラインの能力の目標に変換します。現状100個／hの能力だったとすると、125個／hに向上させれば、残業ゼロになります。毎日2時間の残業がなくなると、年の稼働日を244日、生産に従事する従業員は1名、残業時間あたりの労務費を5000円とすると、次のようになります。

2h×244日×5000円＝244万円／年

もちろん、各企業や製造ラインによって異なりますが、オーダー的にはこの程度になります。

能力目標125個／hが決まれば、次はCT（サイクルタイム）と可動率です。

生産個数＝3600秒×可動率％÷CT

この式から、目標CTと目標可動率も設定します。わかりやすい、切りのいい数値がいいでしょう。たとえば、125個／hであれば、可動率83％、CT24・0秒で達成できます。

この時に大切なのは、「必要な目標」を明確にすることです。「こういう手段があって、○％くらいカイゼンできそうだから、目標も○％アップ」というのが昔の旭鉄工で設定していた「できる目標」です。これでは、できない理由が出てきた時に、目標も切り下がってしまいます。できそうかどうかは関係なく「必要な目標」としなければなりません。

「ラインストップミーティング」でチームでPDCAを回す

問題の見える化はPDCAのPにすぎません。そこからカイゼンのAまでつなげていく仕組みが必要です。

そのための重要な日常の活動が「ラインストップミーティング」です。現場の作業者、管理監督者、生産技術担当者など、必要なメンバーが毎日決まった時間に製造現場に集まります。そして、前日の稼働データを使用して問題点や改善効果などを確認し、取るべきアクションと期日を決定します。

このミーティングは毎日おこなうことが重要です。前日に起こった問題点なら作業者に聞けば詳細を確認できますが、1週間前の問題について聞いても正確な情報を得ることができません。IoTで自動でデータを収集しているからこそ、このミーティングを毎日おこなうことができます。IoTがないと、集計に手間がかかりすぎて、毎日おこなうのは難しくなります。

IoTデータで問題を把握したうえで、そのデータが意味する現象を現地現物で確認することで、問題を正確に把握し、対策を講じることができます。ＩｏＴで現地現物が不要になるわけではなく、現地現物の効果がより強力になると考えるほうが適切です。この現地現物を関係者でおこない、カイゼン活動を最速で進めるために、ラインストップミーティングをおこなうのです。

横展ボードで進捗とノウハウを共有する

ラインストップミーティングで利用するのが「横展ボード」です。カイゼン活動の内容や進捗状況を決まったフォーマットに則って作成し、現場で共有するものです。カイゼン活動のやり方そのものでもあります。

横展ボードは、製造ラインのカイゼンを担当するメンバーの間で共有するだけではありません。多くのデータはデジタルで自動収集されていますが、あえて紙に印刷して貼り出してあり、周囲にいる従業員のだれもが横展ボードで状況を理解するとともに、ノウハウを共有することが可能になっています。

横展ボード

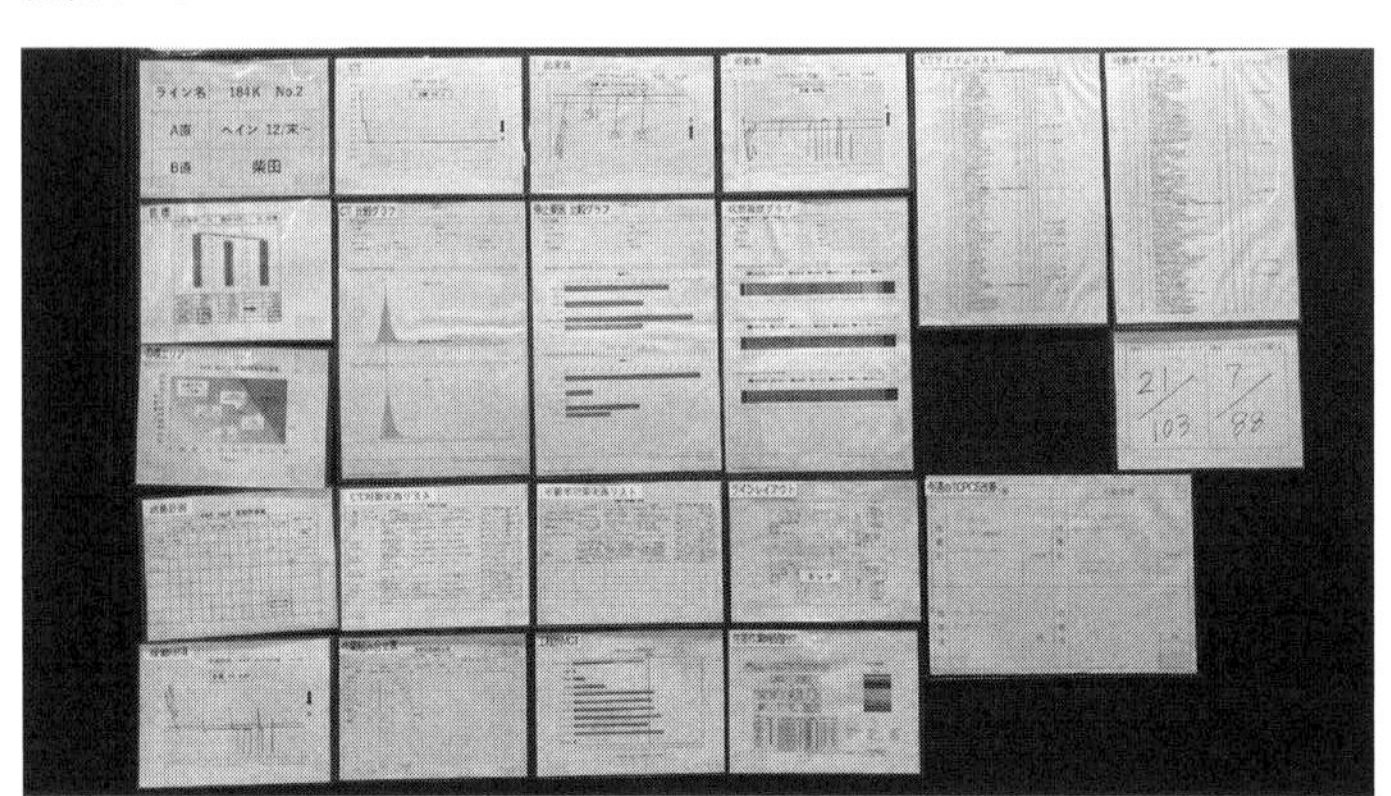

「変遷図」で目標と現在の実力との乖離を把握

まず重要なのは、現状と目標の乖離を明確にすることです。旭鉄工が活用しているのが、「変遷図」というグラフです。横軸がＣＴ［秒］、縦軸が可動率［％］、斜めの線が時間あたり生産数［個／ｈ］の等高線であり、目標ゾーンに対し進捗状況を確認できます。

グラフ上のポイントが現在値となり、ＣＴが短縮されるとポイントは右に動いていきます。また、可動率を向上（停止を低減）させれば、上に上がっていきます。

ＣＴ短縮と可動率の向上の手法は、現場が自由に決めます。組付ラインのように可動改善が難し

変遷図で現在の位置と目標を把握

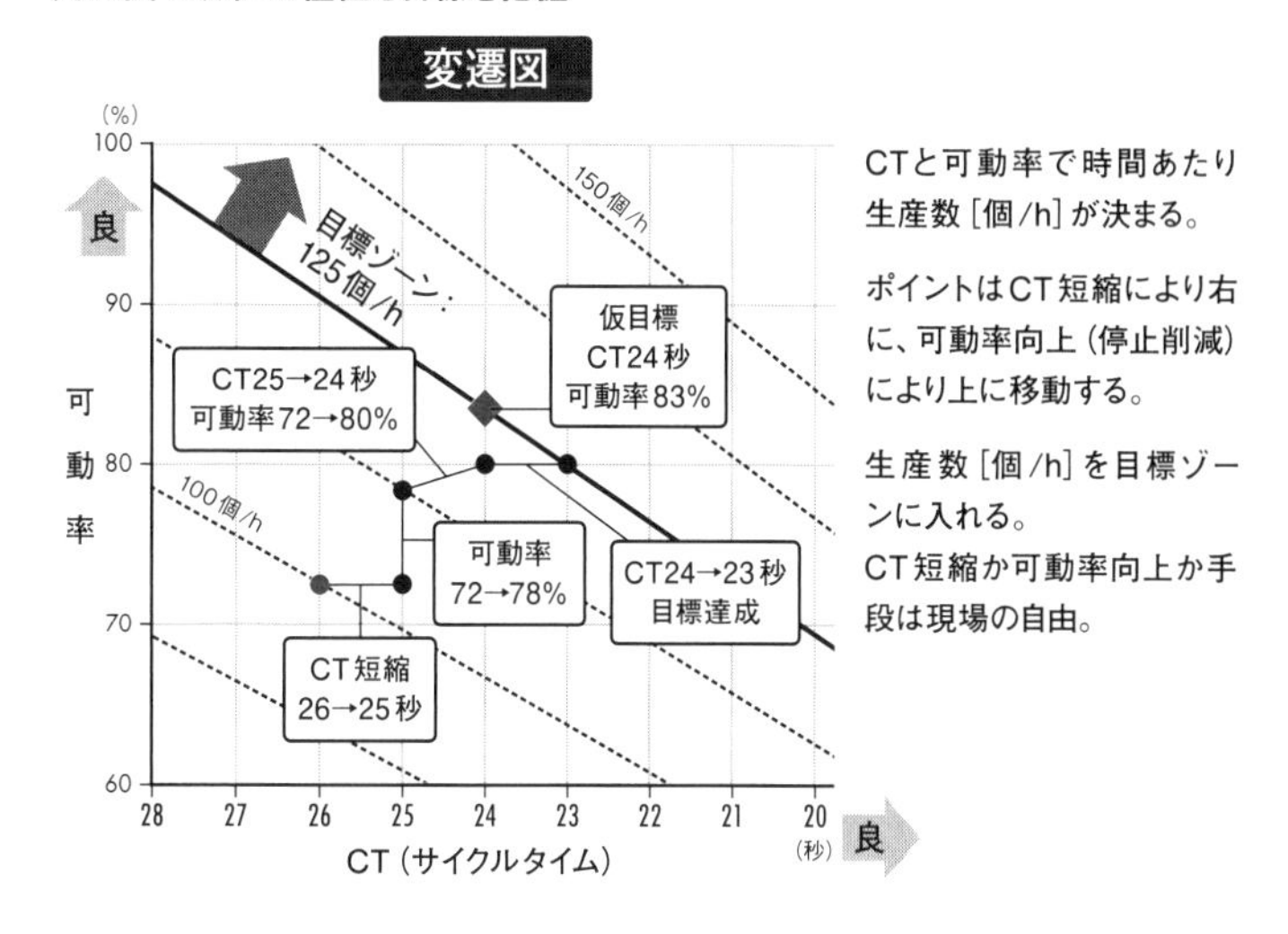

いのであればCTを短縮し、検査のようにCTを短縮するのが難しいのであれば可動改善をおこないます。いずれにせよ、このポイントを目標ゾーンに入れることが必要です。

このグラフ上にカイゼンのスタート時点での実力（能力）をまずプロットし、どういう対策内容により、そのプロットがどう動いたかを記入していきます。これにより、スタートからのカイゼンの経緯と、目標と現在の実力との乖離がわかるようになっています。経緯がわかるという点から、「変遷図」と呼ばれています。

目標はグラフの右上のほうにゾーンとして示されますが、代表的な数値としてゾーンの下限の線上で目標CTと目標の可動率を設定し、プロットします。

左下のポイントがカイゼン前の実力、CT26

秒・可動率72%、目標は125個/hの等高線より右上のゾーンです。ここに入れさえすれば、CTを短縮しても可動率を向上させてもかまいません。目安として、CT24秒・可動率83%が仮置きされています。なお、今回は吹き出しの中にCT短縮と可動率向上の数値を書きましたが、実際のボードではカイゼン内容が吹き出しの中に書いてあります。

この例では、CT短縮を3回、可動率向上を2回おこなうことで、CT23秒・可動率80%となり、目標ゾーンである125個/hの下限に到達しています。仮目標のCT24秒・可動率83%とはずれていますが、125個/hは達成しているので問題ありません。さらなるカイゼンで目標を過達しています。この変遷図により、あとどれくらいカイゼンする必要があるのかが視覚的に確認できます。

主要4項目の日々の数値をチェックする

前述の変遷図では、時間あたり出来高の目標を達成するために、CT・可動率の変遷を追っています。もう少し細かい日々の変動をチェックするために、次の項目が日を追ってどう変化したかをグラフで追っていきます。

●稼働時間……生産を意図した時間
●時間あたり出来高……1時間に生産した個数
●CT（サイクルタイム）……製品が製造される時間間隔
●可動率……生産を意図したときに生産できる時間の割合

横軸が時間、縦軸が各項目単体の1次元グラフです。

この4つの指標については、目標線を記入します。たとえば、稼働時間の目標は8時間、時間あたり出来高は125個／h、可動率は80％、CTは23・0秒、という線です。これらの目標線に対して、上がったか下がったかを毎日見える化し、共有します。

目標線を入れること、毎日プロットすること、変化点があれば記入することが大事です。それにより、現状と目標の乖離、対策の有効性、生産能力の安定性などを視覚的に把握できます。毎日活動メンバーで集まり、前日に何が起きたか問題点を確認すると、素早い対策が可能になります。

現状と目標の乖離をグラフで把握する

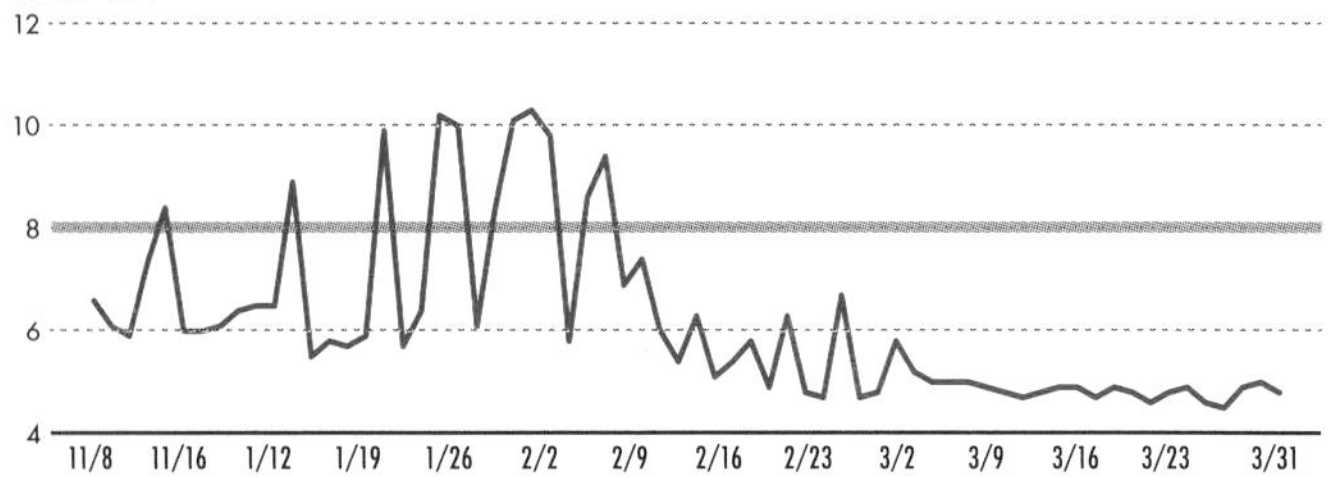

●時間あたり出来高

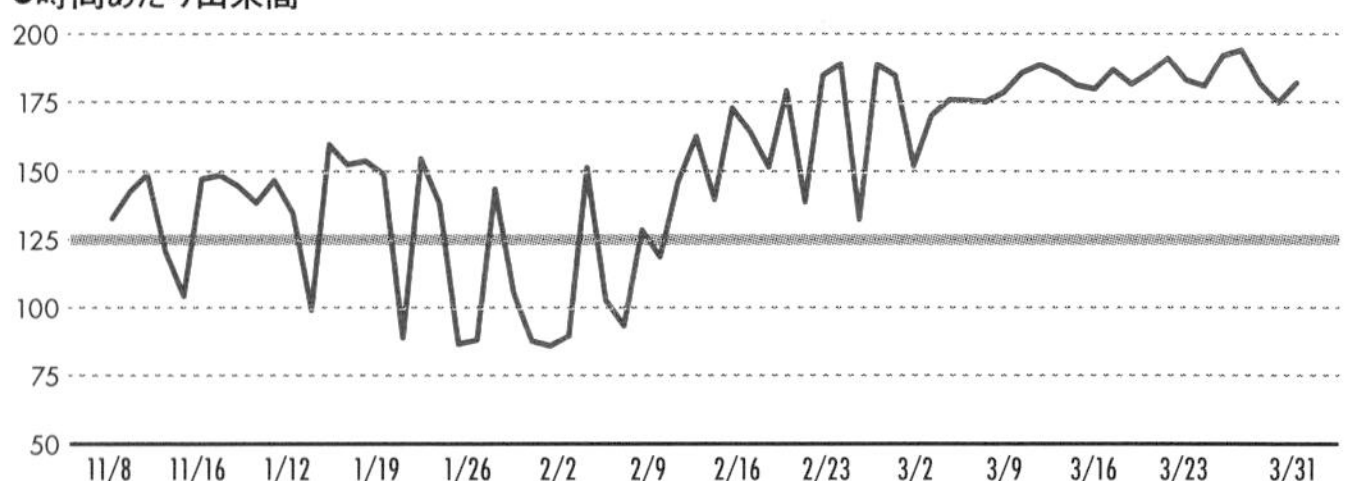

●CT

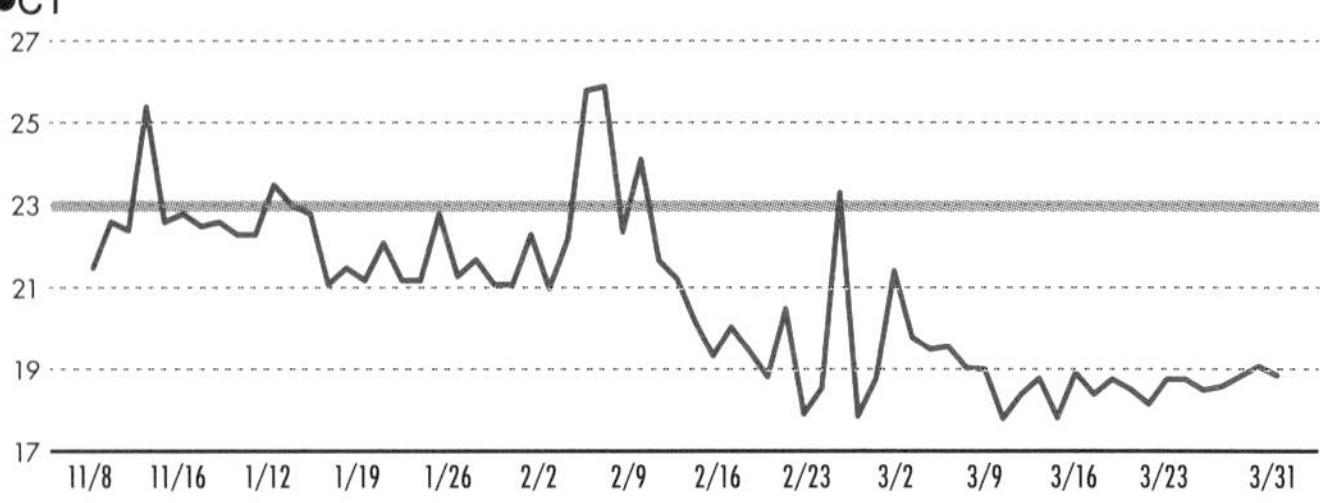

●可動率

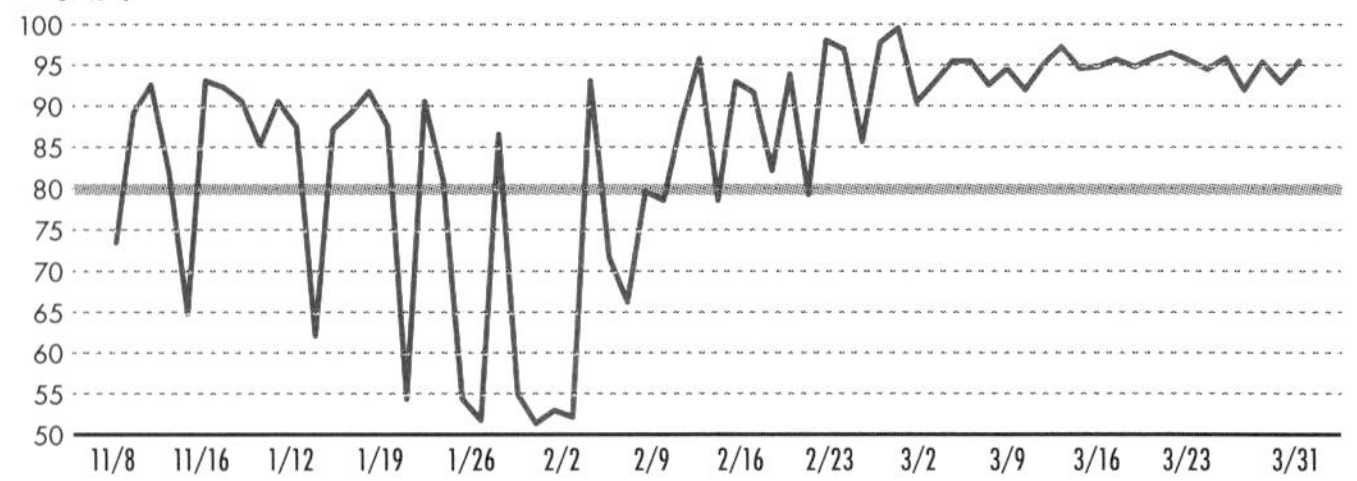

カイゼンで労務費が抑制される仕組み

トヨタ生産方式では、カイゼンで残業をなくし、定時で生産を終わらせて利益を確保するのが基本です。旭鉄工でも、「高負荷は利益確保のチャンス」と考え、残業が発生している、もしくは予測される製造ラインにおいて、積極的なカイゼンをおこなっています。

たとえば、定時が8時間で、1時間の生産能力を100個から125個にカイゼンした場合、1日あたりの生産個数と労務費の関係のグラフは図のとおりになります。ただし、話をかんたんにするため、8時間までの労務費は一定で、8時間を超えると残業をおこなうという前提とします。

定時の8時間を超えると残業代が発生しますから、労務費は生産個数に応じて増加します。こういう状態になってこそ、カイゼンの効果が出やすくなります。

1000個を100個／hで10時間生産する場合と、125個／hで8時間生産する場合を比較しましょう。同じ生産個数を生産するわけですから、グラフ上の横の位置は同じになります。そして、カイゼンにより、労務費は2時間分削減できます。さらに1

単一製造ラインでの残業減の効果

例）カイゼンで2時間残業を減らす

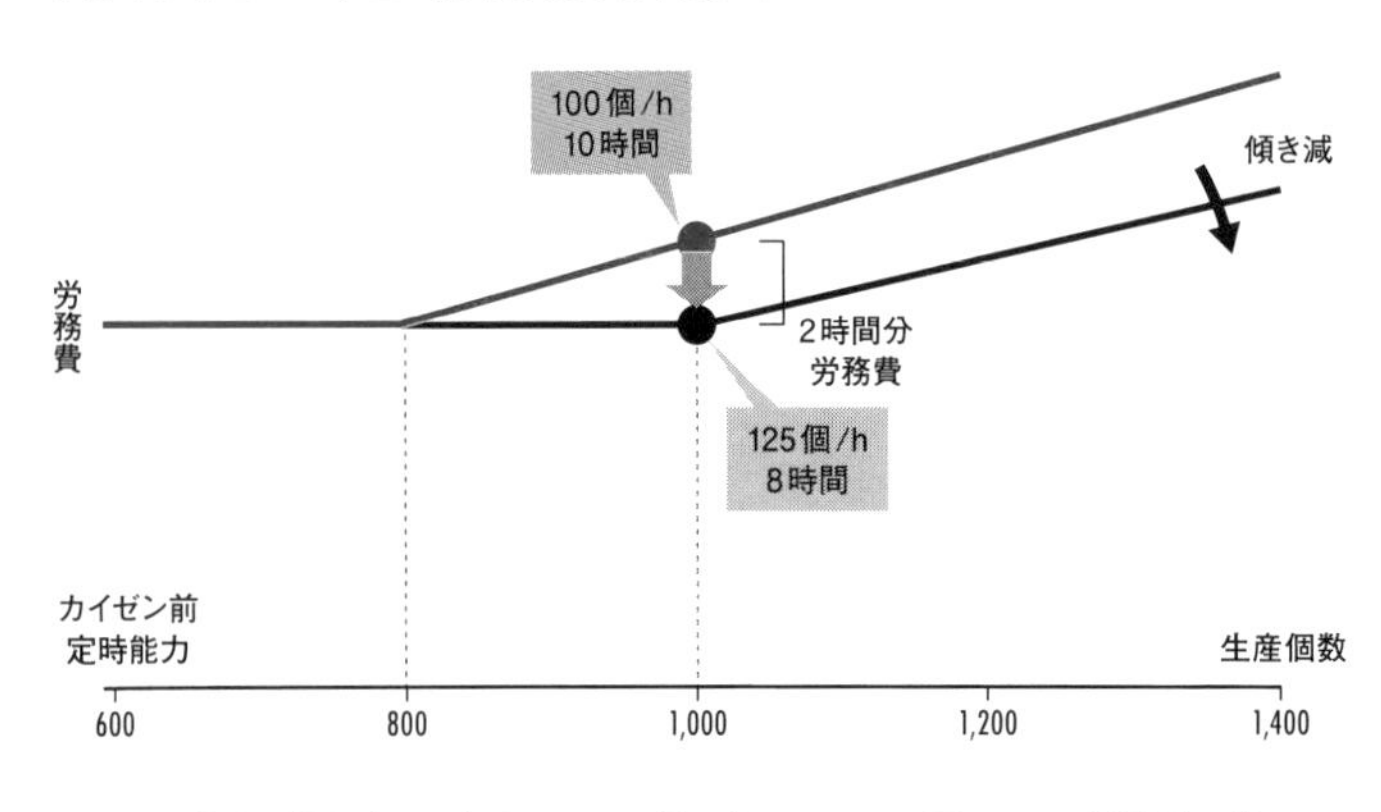

1万円／ライン／日×200ライン×244日 ＝ 5億円／年

25個／hの定時を超えた部分の線の傾きが緩やかになっているのは、残業で生産をおこなう場合も1時間で生産できる個数が多く、製品1個あたりの労務費が下がっているからなので、生産個数が増えたときにより儲かるようになります。

時間あたりの労務費を福利厚生費を込みで5000円／時間とすれば、効果は10000円／日。旭鉄工の場合、これが200ラインあり、年間稼働日は244日ですから、単純計算すると5億円弱になります。25%の生産性向上により、その程度の利益増が見込める、ということです。

なお、生産個数が800個／日以下の部分を見ると、労務費は一定であり、カイゼン効果がありません。つまり、「忙しいときに1時間あたりの生産個数を増やすカイゼンをおこなえば儲かるが、負荷が下がって生産個数が少なくなると効果がない」ことになります。「作業者に複数ラインを渡り歩いてもらう」か「同じ製造ラインで仕掛けることのできる製品を増やす」という高度なカイゼンをおこなう必要があり、難易度が上がります。「忙しい時こそ改善のチャンス」なのです。

カイゼン活動で利益が増える仕組みについては後述しますが、こういったカイゼンを全社的におこなうのは容易ではありません。カイゼンを楽に高速で進める現場の仕組みと、それを支える会社の仕組みが必要です。

データでカイゼンの切り口を探す

「問題を見える化」するｉＸａｃｓの実際のグラフから得られる切り口について、事例を示します。

影響の大きい停止要因は何か？

「要因別停止時間」は、停止要因の寄与度を明確にしてカイゼン優先順位を決めるとともに、進捗を見える化する指標です。ｉＸａｃｓでは停止時刻・復旧時刻とそれらの長さは自動で記録されていますが、停止要因は「設備停止」と判定されます。従業員にその内容を紙に記録するよう頼んでも、嫌がられます。そこで、上位の停止要因についてはｉＸａｃｓにあらかじめセットしておき、人間がその停止の対応をおこなう際に、タブレットもしくは弊社の専用ハードウェアで要因を選んでタッチしてもらうことで、「設備停

要因別停止時間

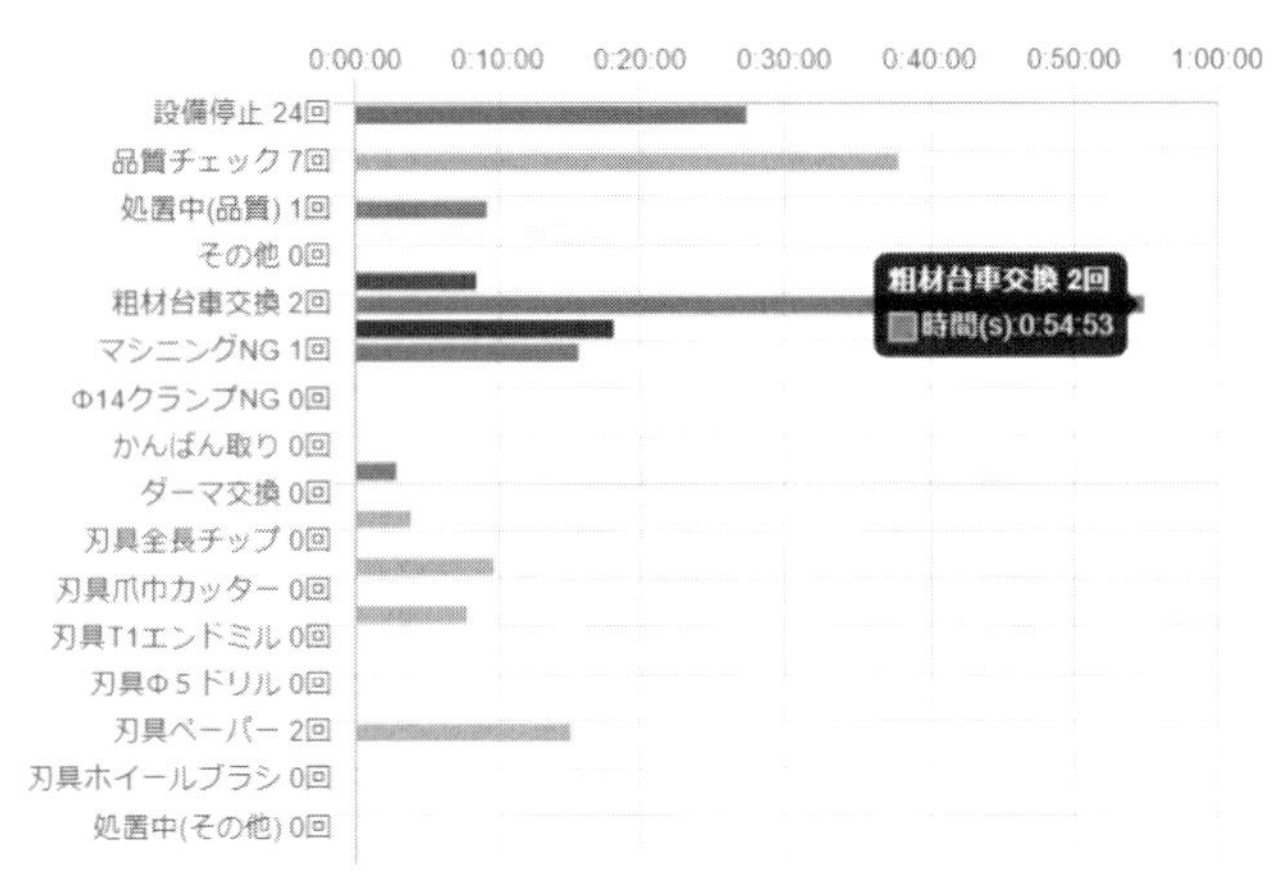

西尾機械1課1係ラックFJライン（2023年10月24日）

止」に代わって選んだ停止要因で上書きされます。

なお、iXacsには停止要因を自動で記録する機能も実装してありますが、その分費用がかさみます。必要な設備対応をおこなう際に停止要因をタッチするだけなら、従業員はやってくれます。停止時刻・復旧時刻を正確に測定・記録するのは至難の業ですから、その部分はシステムに任せる。そういう割りきりと工夫が、iXacsを複雑・高価にせず、現場が使いやすいものにしています。

こうして記録された上位5個程度の停止要因について日々フォローし、カイゼンしていきます。すべての停止要因を細かく把握する必要はありません。カイゼンが進むと上位の要因は入れ替わりますから、新たにカイゼン対象とすればいいのです。

グラフの例を示します。縦軸に停止要因、その横に回数、右の棒グラフは合計の停止時間を示しています。粗材台車交換が2回で、54分53秒ロスしています。品質チェックも7回で、37分52秒かかっています。「まずこのあたりから対策するのでは」と判断できます。

サイクルタイム遅れか、チョコ停か、ドカ停か？

製造業では、短時間の停止を「チョコ停」（チョコっと停止）、長時間の停止を「ドカ停」（ドカンと停止）と呼びます。そして、「ドカ停を防止するために予知保全（予兆保全）をやろう」という風に考える会社が多いようです。しかし、そこで問題になるのは「本当にドカ停は多いのか？」ということです。生産性に影響しているのがサイクルタイム（CT）の遅れなのか、チョコ停なのか、ドカ停なのかを定量的に把握しないと、対策をまちがえてしまいます。

グラフの例を示します。このグラフは「時間別累計停止時間」と呼ばれています。左端がCTが遅れた回数とその合計時間、その右側は1回の停止の長さが7・5分以下、15分以下、30分以下、60分以下、120分以下、それ以上とで分けて、それぞれ停止回数

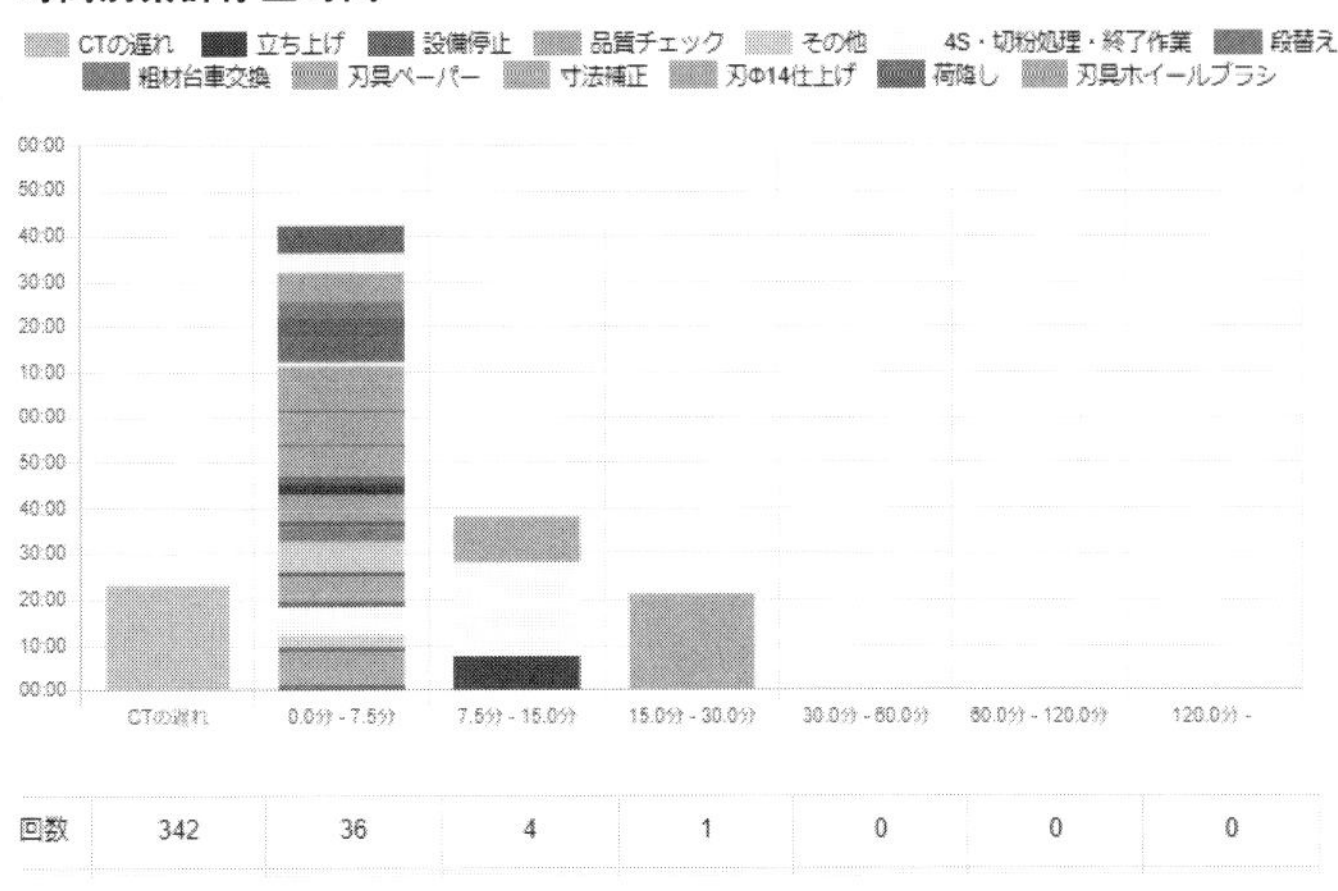

西尾機械1課1係ラックFJライン（2023年11月8日）

と合計時間をグラフ化しています。CT遅れか、チョコ停か、ドカ停か、どういう長さの停止もしくはCT遅れの影響が大きいかを見るものです。

このグラフからは、次のことが読み取れます。

- CTの遅れは342回発生していて、合計は23分16秒
- チョコ停（1回の停止が7・5分以下）は36回、合計1時間42分17秒

チョコ停が生産性に大きく影響しているのがわかります。1日に30回以上も発生する数分の停止を作業者がきちんと記録するのは困難ですし、1日300回も発生するCT遅れを人手で把握するのは不可能です。このチョコ停とCT遅れは多くの会社で把握されておらず、それぞれ1日に2時

停止要因トップ5

停止要因情報一覧

編集	停止要因	停止時刻	停止時間	品番	動画	動画
	品質チェック	10/25 11:28:58 - 10/25 11:44:38	0:15:39	48659-60040		
	品質チェック	10/25 14:09:46 - 10/25 14:23:35	0:13:48	48659-60040		
	OP3-1刃具交換	10/25 11:55:02 - 10/25 12:01:06	0:06:03	48659-60040		
	OP1-2刃具交換	10/25 13:24:23 - 10/25 13:29:23	0:05:00	48659-60040		
	OP3-1　チョコ停	10/25 11:22:40 - 10/25 11:27:02	0:04:21	48659-60040		

西尾機械製造部3課1係　ブラケット(2023年10月25日)

間以上もある会社もめずらしくありません。「見えない問題は直らない」ので、こういった事実を定量的に把握することが必要で、そのためにはＩｏＴによるデータの自動収集が必須です。

図は発生した停止を時間の長いもの順に５つ並べたもので、「トップ５」と呼ばれています。

停止要因、時刻、長さ、品番を並べて表示します。生産性に大きな影響を１回で与えてるのは何かを見えるようにするものです。この例では１番長い停止が15分39秒、発生時刻は11時28分58秒であるとわかります。最近は右端にカメラマークが追加されました。製造ライン内の様子がＡＩカメラで常時録画されており、このマークをクリックするとこの停止の発生した時刻の動画が再生されます。発生頻度が低い、あるいは人のいない自動ラインでの問題の内容確認が容易になります。「正常を管理するな異常を管理せよ」というＴＰＳの考えに則っているとも言えます。

サイクルタイムの平均値

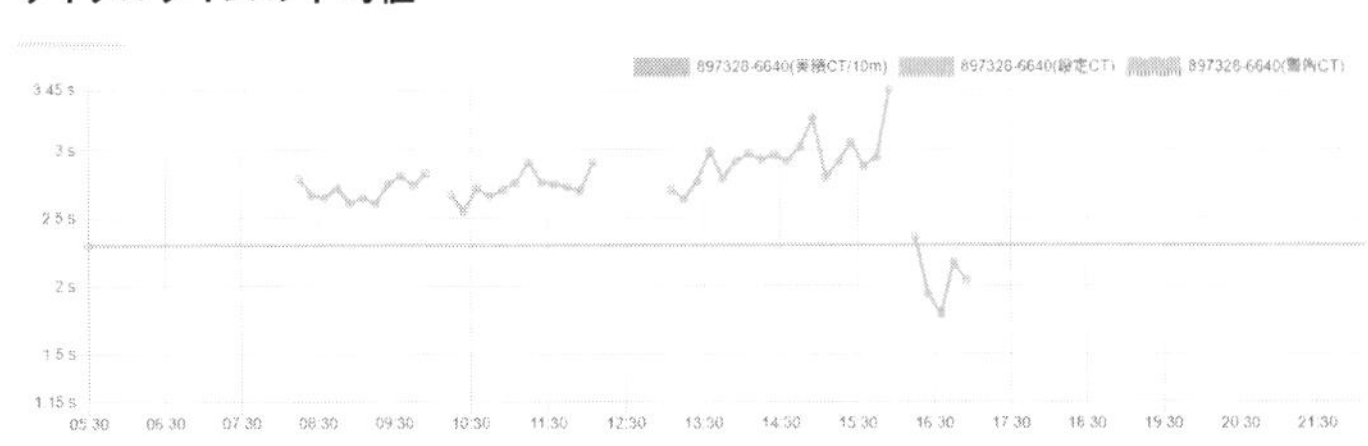

熱処理課・ロッカーアーム検査A・10月18日

人や時間によるＣＴ作業バラつきはないか？

ＣＴは測定するのに手間がかかるので、多くの会社では正確に把握していません。作業者の違い、疲れ、寒さや設備の劣化などが影響することに気がついていないのが実情です。人や時間の影響を確認できるグラフもあります。

横軸が時間、縦軸が10分ごとのＣＴの平均値です。10時20分から12時、13時10分から16時頃にかけてだんだんと長くなるのが見て取れます。また、16時半頃は作業者が代わった影響が表れています。ここは検査ラインですから、長くなるのは疲れの影響ではないか、やりにくい作業になっていないかを確認します。逆に速すぎる場合は「キチンと手順どおり検査をおこなっているか」を現地現物で作業観察をすることが必要です。

対策アイテムを積み上げる——できるまでやる

変遷図上で目標と現状の実力乖離を確認したら、必要なCT短縮および可動率向上（停止時間削減）の数値を把握します。カイゼンにあたって必要なのが、「CT短縮目標」と「停止時間削減目標」への変換です。たとえば、CTの実力値が12秒、目標が10秒であれば、CT短縮目標は2秒になります。この2秒の短縮ができるように、対策アイテムを積み上げていきます。

停止時間は、たとえば1日の総稼働時間が480分で、目標の可動率が80%であれば、許容される停止時間は96分。現状の可動率が50%だと、停止時間が240分あるわけですから、停止時間削減目標は240－96＝144分になります。

対策を考えるにあたっては、第5章で解説する「横展アイテムリスト」を活用します。これまで旭鉄工でおこなってきたカイゼン事例のリストです。まずここを見て適用できそうな事例をピックアップしそれぞれの効果を予想、「対策実施一覧表」にまとめます。「歩行短縮で1秒」「扉の開閉タイミング変更で0・5秒」「清掃方法変更で停止時間短縮2分」といった具合です。必要な目標に対しそうした効果の合計が100%以上になるまで積み上げをおこないます。

実際のカイゼン事例を示します。本社レリーズF1&5ラインにおいて、2022年12月から2023年4月にかけてカイゼンをおこないました。

CTは、マシニングセンターの次の対策によりカイゼン前の193秒から159秒へと34秒短縮しました。

●エアカット短縮
●エアブローの動作変更
●切削条件の変更（主軸回転数と送りスピードアップ）

可動率については、次の対策により、85%から93%まで向上しました。

●レイアウト変更による歩行短縮
●段替え作業の2名化による段替え時間短縮

時間あたり出来高も15・9→21個／hにアップしました。ほかのラインで必要だったアイテムまで実施することで目標を過達しています。

同時期に、電源オフ活動もおこないました。カイゼン前も機械の手元での電源オフはしていたものの、元電源から切ることはできていませんでした。横展活動の開始後、電源ＢＯＸからしっかり切るようにして、１個あたり電力は０・05→０・02ｋｗｈに低減しました。

対策実施一覧表と、その実行による変遷図を挙げます。ＣＴ短縮で7件、可動率向上で4件の対策を実施しています。

ｉＸａｃｓでデータを確認し、毎日のラインストップミーティングで進捗を確認しつつ関係者で共有し、ＰＤＣＡを回し続ける。あくまでも目標を達成する＝できるまでやります。

ここで大事なことは目標を安易に切り下げないことです。ラインストップミーティングには複数の部門のメンバーも出席していますから、自分の担当範囲にとどまらず知恵を出し合います。これまで旭鉄工で実施してきたほぼすべてのカイゼンプロジェクトにおいて目標は達成されています。

対策実施一覧表

CT　対策実施一覧表

No	設備名	ネライ	事象（調査内容）	原因	対策実施内容	予想効果	計画日	実施日	担当	効果
1	Fライン	CT短縮	加工時間長い	切削条件変更なし	切削条件の見直し	17秒	3月末	1月19日	製造	○ 20秒～
2	Fライン	CT短縮	球面ドリル加工が長い	加工面のビビり	切削ドリルの見直し	3秒	3月末	3月20日	製造	×
3	Fライン	CT短縮	機械動作が遅い	ドア開閉等の動作	エアシリンダーでの動作確認・スピコンの調整	1秒	3月末	3月13日	製造	○ 1秒
4	Fライン	CT短縮	切削動作の見直し	切削ドリルとワークの距離	エアカット	2秒	3月末	1月15日	製造	○ 2秒
5	Fライン	作業性UP	歩行時間短縮	設備間が遠い	レイアウト変更	5分	4月末	3月24日	製造	×
6	Fライン	CT短縮	加工時間長い	エアブロータイマーが長い	タイマー時間見直し	2秒	4月末	4月6日	製造	○ 3秒
7	Fライン	CT短縮	加工時間長い	エアブロー動作	エアブロー動作見直し	2秒	5月末	5月12日	製造	○ 4秒

可動率　対策実施一覧表

No	設備名	ネライ	事象（調査内容）	原因	対策実施内容	予想効果	計画日	実施日	担当	効果
1	Fライン	作業性UP	歩行時間短縮	粗材シュートが遠い（切削）	レイアウト変更	3分	5月末	5月23日	製造	○ 3分
2	Fライン	作業性UP	歩行時間短縮	材料運搬が遠い	レイアウト変更	2分	2月末	2月6日	製造	○ 1分30秒
3	Fライン	作業性UP	段替え時間の短縮	段替え1人交換	段替え2人作業	3分30秒	3月末	3月3日	製造	○ 3分30秒
4	Fライン	作業性UP	刃具交換時間	刃具交換台が遠い	予備ツール作成	2分	4月末	4月12日	製造	○ 2分

カイゼン実行による変遷図

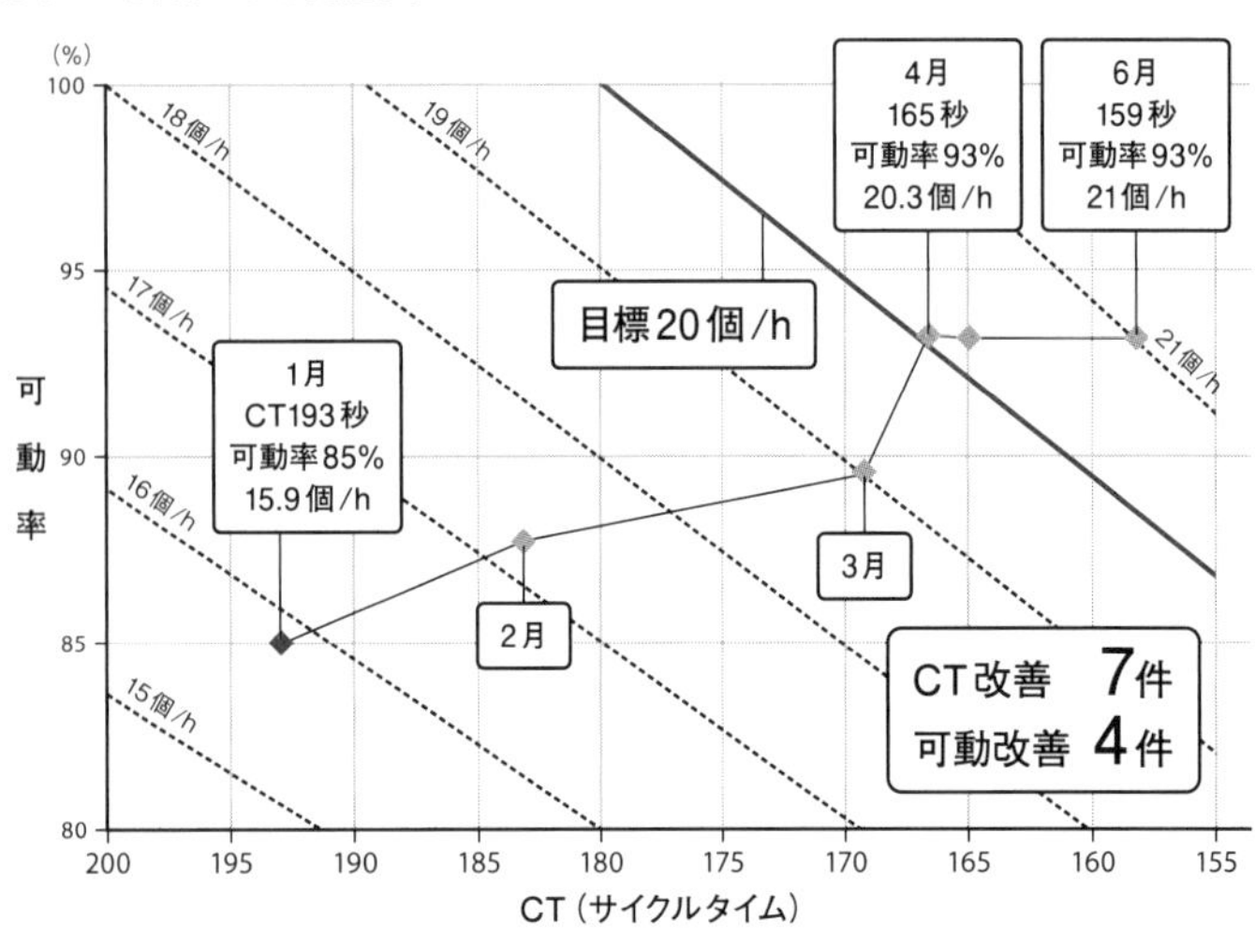

「横展卒業式」で社長に報告する
―カイゼン効果はサチらない

旭鉄工では、３か月でカイゼン活動をおこなうのが基本です。そして目標を達成したら「横展卒業式」で社長報告がおこなわれます。〝卒業式〟と名がついていますが、中身はカイゼン報告会です。テーマ、目標、カイゼン内容、成果などについて、実際にカイゼンをおこなったメンバーから現地現物で報告があります。そして、社長とメンバーで記念写真を撮り、Ｓｌａｃｋで社内に展開します。詳細については第４章で述べますが、従業員のモチベーションアップと方針の徹底などが狙いです。

ＴＰＳでは、「カイゼン後はカイゼン前」と言います。「カイゼンに終わりはない」という意味です。カイゼンが進むと別の問題が見えてきます。

「そうは言っても、ある程度カイゼンが進むとそれ以上は難しいだろう」

口には出さないものの、私も以前はそう思っていました。しかし、実際はそうではありませんでした。旭鉄工では同じラインのカイゼンを複数回おこなうケースがよくありますが、２回目以降のカイゼンで数十パーセント生産性が向上することもあります。結局これは、０・１秒に拘ってアイテム出しをするなどカイゼンのスキルと意識が向上していたり、カイゼンのできる人材が増えていたり、ノウハウが蓄積・展開されている効果だと思われます。

column　在庫の低減は目的ではなく、カイゼンの副次効果

在庫は、お金が寝ているのと同じです。また、製造ラインにトラブルが発生し

たときには欠品などの問題が起こりにくくなって、工程の弱さが隠れてしまいます。そのため、在庫低減は重要です。

しかし、旭鉄工では在庫低減には重点を置いていません。問題を見える化する手段としては労務費低減を目標に常時活動し、工程の弱さが数値で見えているからです。iXacsがあり、労務費削減を狙ったカイゼンの結果、可動率が高くなりCTが短縮されて生産のリードタイムが短くなる、その副次効果として少ない在庫で現場が運営できる実力が備わる、と考えたほうがいいでしょう。

収支フォロー会議で月次決算の分析と現場のカイゼン進捗フォローを同時におこなう

旭鉄工では以前からカイゼン活動をおこなっていましたが、「カイゼンで○○円労務費を低減しました！」という報告はあれど、経理の数値はちっとも変わりませんでした。また、月次決算の結果を確認する会議もおこなっていましたが、単月の数値を見て、各部署が言い訳をして終わり。アクションにつながらない会議には何の意味もありません。

カイゼン活動を儲かるものにするため、また月次決算の数値をアクションに結びつけるための手段が「収支フォロー会議」です。収支フォロー会議でおこなうのは、次の2つです。

①月次決算の分析
②現場のカイゼン進捗フォロー

それぞれについて、簡潔に説明します。

①月次決算の分析

自動車や自動車部品業界では、前年同月比といった単月同士の比較方法が一般的です。それは、自動車の販売に季節性があるため自動車および自動車部品製造業の売上もそれに引きずられ、変動の傾向が概ね決まっているからです。

一方、旭鉄工の月次決算の分析のポイントは、過去のデータを散布図にして分析する点にあります。各月の決算の数値はノイズを含みます。大きなノイズの1つは季節性を含めた売上そのものです。一般的には売上が増えれば経費も利益も増えます。旭鉄工では、当初計画された売上に対する利益や経費の予想値を「成行」と呼びますが、成行と実績の売上は程度の差こそあれ必ずずれます。その差が大きくなると、成行の数値と実績の数値を単純に比較できません。分析とは、比較することです。売上の差分により各種利益や経費がどれだけずれるのか推定しないと比較ができません。そのため、散布図にすることで、その分析をやりやすくしています。

分析の目的は2つあります。

- 利益体質の変化を確認する
- 月次決算の数値の変動要因を把握する

利益体質の変化を確認する

売上と利益および各種経費について1年分のデータから回帰直線y＝ax＋bを求め

散布図で月次決算を分析

月次決算の分析　月次データで散布図を描き、1次線形近似

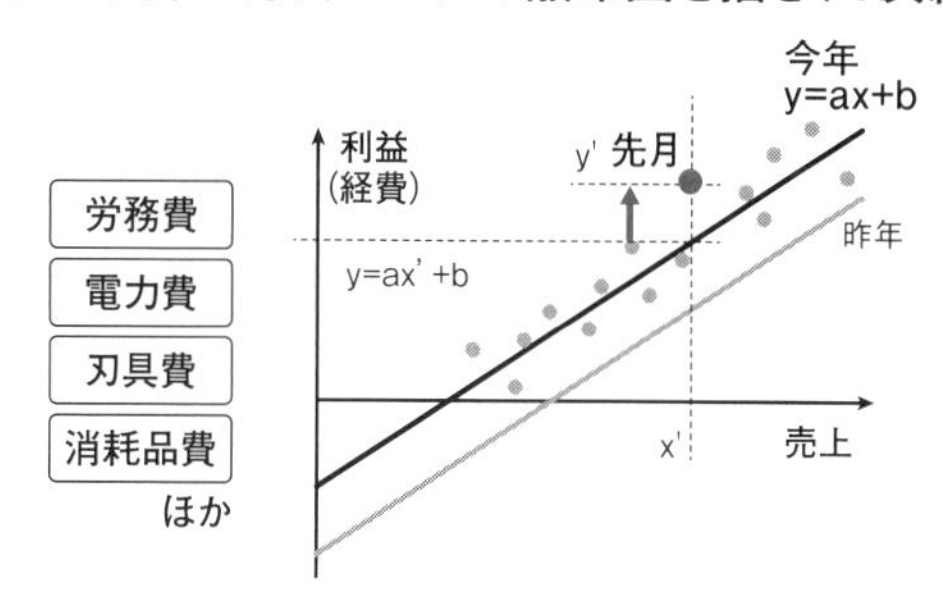

①近似線全体の変化

利益体質の変化の確認
カイゼン効果が出てるか？

②先月の実績と近似線の乖離

月次の変動要因の把握

ます。この関係式があれば、月次の売上に対しおおよその利益と各種経費が予測できるようになります。

そして、この近似線を売上－利益の2次元上にプロットし、年度ごとに比較すると、利益体質の変化が見えます。図は、昨年に比べて今年の利益体質が良くなっている例です。単月のデータだけではノイズや変動要因が入っており効果の比較は困難ですが、このように複数の月のデータで作成した回帰直線を比較することで可能になります。

月次の変動要因の把握

ここまではまず複数月のデータから回帰直線を求めることでカイゼン効果を把握する方法について述べました。この回帰直線があれば、各月ごと

営業利益と労務費3年分の散布図

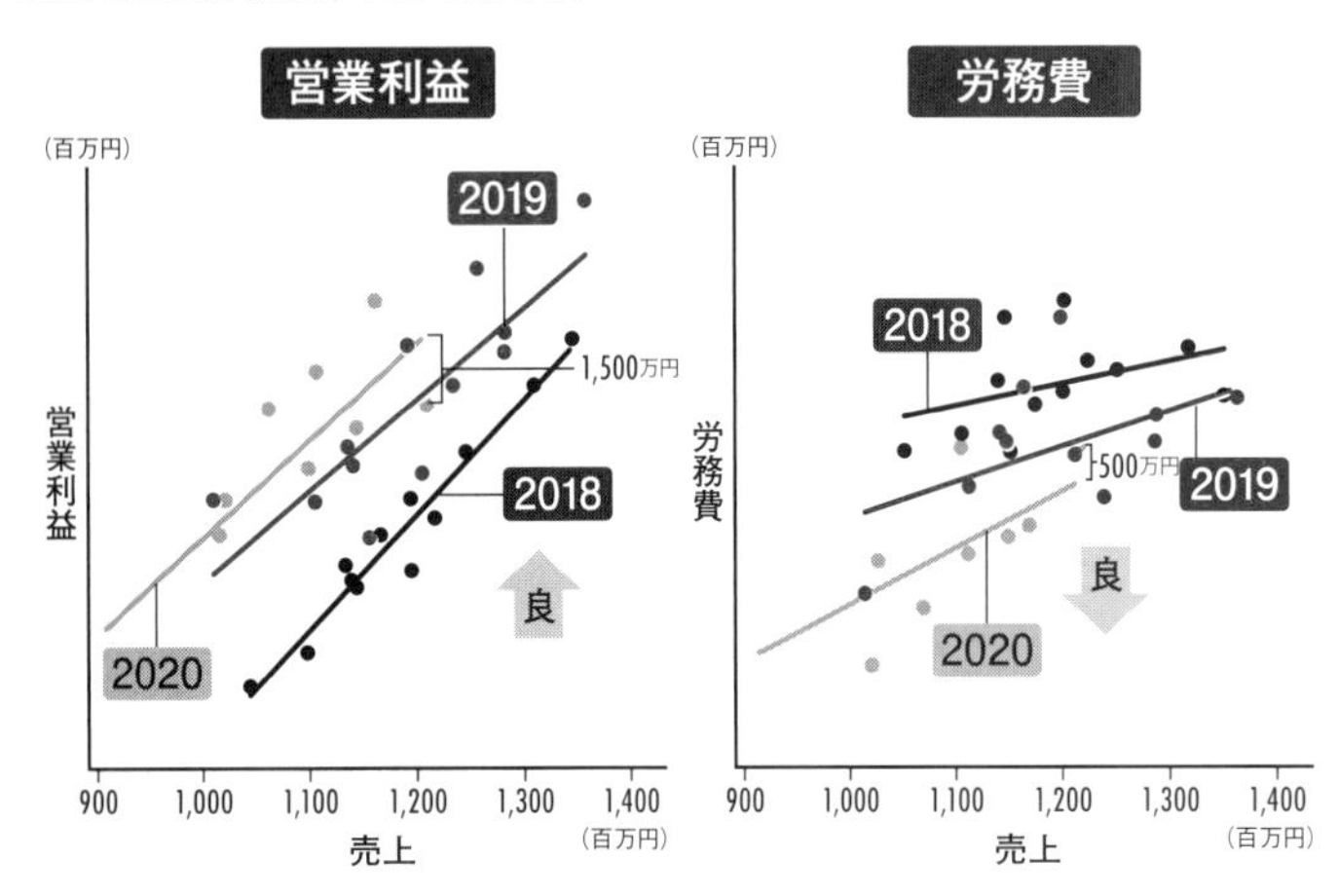

利益および労務費のカイゼン効果が確認できる

のデータに影響を及ぼす要因も把握しやすくなります。その方法について述べます。

先ほどは回帰直線の上下のずれを見てカイゼンの効果額を確認したわけですが、月次の各数値については、利益以外の経費も含めた15項目について、散布図による分析をおこないます。具体的には、横軸に売上、縦軸に利益および各種経費を取り、それぞれについて回帰直線を求めます。その直線に対し、利益ならプロットされた点が上に、経費なら下に来たほうがいいことになります。それぞれの費目について、回帰直線との上下方向のずれを確認することで、影響している項目も定量的に特定できます。その詳細を確認し必要な対策を取ることで、経理の数値に基づいた経営が可能となります。

売上に対する営業益および労務費について、実際に旭鉄工の月次決算の数値がどう変わったか確認してみましょう。

旭鉄工の売上－営業利益の回帰直線は2018年度、2019年度、2020年度と年度が進むにつれて上方に移動しています。収益力が年々向上しているということになります。

なお、2019年度と2020年度で比べると直線は概ね1、500万円ほど上に移動しているので年で約1・8億円、営業利益率で1・2ポイント前後の効果があると言えます。その他の経費についても同じ方法でカイゼンの効果が見えます。

同様に労務費を3年分プロットしたグラフが次のようになります。2018年、2019年、2020年と年々労務費が下がっています。これがカイゼンの効果です。しかし、2019年度と2020年度を比べると月の効果は400～500万円程度ですから営業利益のカイゼン効果は労務費だけでは説明がつきません。その他のデータを同様に散布図で分析する必要があります。

②現場のカイゼン進捗フォロー

年度の初めに与えられたカイゼン目標に対し、各部署はカイゼン対象ライン（アイテム）をピックアップします。労務費で言えば、対象となるのは休日出勤および残業をおこなっている、もしくは今後予想される製造ラインになります。次に、カイゼンによって得られる予想効果を計算し、その合計が目標金額を1割上回るまで積み上げます。各アイテムを積み上げたリストは「改善集約表」と呼びます。カイゼンの内容や実施時期、金額での予想効果などが記入されています。これらは現場主体で提案・計算されます。そして、カイゼンが完了したアイテムの効果金額も計算します。アイテムが足りているのか、またどこまでアイテムが完了し効果を上げたのかを部署ごとにチェックします。

次のグラフは、収支フォロー会議においてチェックされるグラフです。この西尾製造部では、改善目標5500万円に対し、6500万円の実績をあげていることがわかります。また、その内訳は、労務費およびそれ以外の経費、減価償却費と分けてあります。

もともとのiXacs活用の狙いは、時間あたりの生産能力向上による労務費削減および設備投資（減価償却費）削減でした。今でも労務費削減効果が約半分を占めていますが、目標を決めてデータを活用しながら改善活動を徹底することで効果を出すという体質になった結果、各種経費についても大幅に削減できるようになっています。

これは現場が主体的にカイゼンを進めるからできるのであって、トップが号令をかけるだけでできるものではありません。

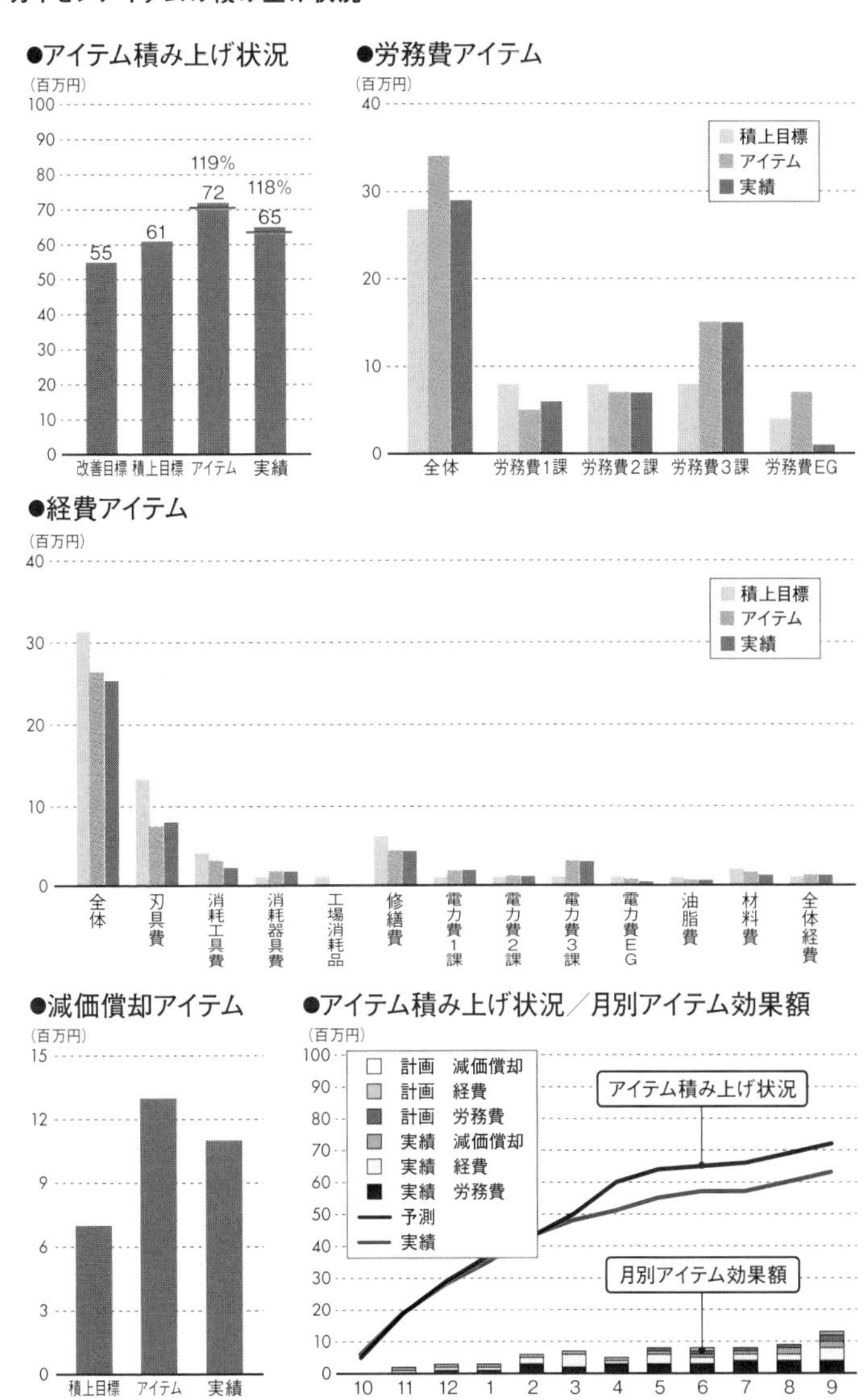

カイゼンアイテムの積み上げ状況
●アイテム積み上げ状況
(百万円)
100
90
80
70
60
50
40
30
20
10
0
119%
72
118%
65
61
55
改善目標
積上目標
アイテム
実績
●労務費アイテム
(百万円)
40
30
20
10
0
積上目標
アイテム
実績
全体
労務費1課
労務費2課
労務費3課
労務費EG
●経費アイテム
(百万円)
40
30
20
10
0
積上目標
アイテム
実績
全体
刃具費
消耗工具費
消耗器具費
工場消耗品
修繕費
電力費1課
電力費2課
電力費3課
電力費EG
油脂費
材料費
全体経費
●減価償却アイテム
(百万円)
15
12
9
6
3
0
積上目標
アイテム
実績
●アイテム積み上げ状況／月別アイテム効果額
(百万円)
100
90
80
70
60
50
40
30
20
10
0
計画　減価償却
計画　経費
計画　労務費
実績　減価償却
実績　経費
実績　労務費
予測
実績
アイテム積み上げ状況
月別アイテム効果額
10
11
12
1
2
3
4
5
6
7
8
9

労務費										
単・継	予測				効き(0～1.0)	実績				担当者
	完了予定月	効果				完了月	効果			
		h/日	円/月	年度			h/日	円/月	年度	
継	10 月	0.5 h/日	¥24,400	¥268,400	1.0	月	h/日	¥0	¥0	間瀬KK
継	12 月	0.5 h/日	¥24,400	¥219,600	1.0	月	h/日	¥0	¥0	間瀬KK
継	11 月	0.4 h/日	¥19,520	¥195,200	1.0	月	h/日	¥0	¥0	内田H 木村H
継	1 月	1 h/日	¥48,800	¥390,400	1.0	月	h/日	¥0	¥0	飯田KK
継	10 月	0.1 h/日	¥4,880	¥53,680	1.0	10 月	0.1 h/日	¥4,880	¥53,680	飯田KK
継	12 月	1.2 h/日	¥58,560	¥527,040	1.0	月	h/日	¥0	¥0	飯田KK
継	10 月	1.5 h/日	¥73,200	¥805,200	1.0	10 月	1.5 h/日	¥73,200	¥805,200	飯田KK
継	1 月	1 h/日	¥48,800	¥390,400	1.0	月	h/日	¥0	¥0	金原H
継	10 月	4 h/日	¥195,200	¥2,147,200	1.0	10 月	4 h/日	¥195,200	¥2,147,200	飯田KK
継	10 月	2 h/日	¥97,600	¥1,073,600	1.0	月	h/日	¥0	¥0	間瀬KK
継	10 月	0.5 h/日	¥24,400	¥268,400	1.0	10 月	0.5 h/日	¥24,400	¥268,400	間瀬KK
継	10 月	2.2 h/日	¥107,360	¥1,180,960	1.0	10 月	2.2 h/日	¥107,360	¥1,180,960	間瀬KK
継	10 月	0.5 h/日	¥24,400	¥268,400	1.0	10 月	0.5 h/日	¥24,400	¥268,400	間瀬KK
継	10 月	0.2 h/日	¥9,760	¥107,360	1.0	10 月	0.2 h/日	¥9,760	¥107,360	荒川
継	10 月	0.3 h/日	¥14,640	¥161,040	1.0	10 月	0.3 h/日	¥14,640	¥161,040	荒川
単	10 月	0.7 h/日	¥34,160	¥34,160	1.0	10 月	0.7 h/日	¥34,160	¥34,160	荒川

16	予測効果　計	¥8,091,040
	日当り工数計	15.9
7	予測効果　計（内　未完了）	¥3,064,640
	日当り工数計②	6.6

9	実績　計	¥5,026,400
	日当り工数計①	9.3
16	実績＋未完了	¥8,091,040
	日当り工数計①+②	15.9

西尾機械製造部の改善集約表

通番	計画月	部・課・係	ライン・工程	改善内容	Free	費用項目 進捗状況			
1	10月	1係		可動率向上による工数低減（36ヶ/H⇒37ヶ/H）		25%	50%	75%	完了
2	10月	1係		可動率向上による工数低減（36ヶ/H⇒37ヶ/H）		25%	50%	75%	完了
3	10月	1係		AR-5出来高向上（57ヶ/H⇒60ヶ/H）		25%	50%	75%	完了
4	10月	2係		出来高向上（64ヶ/H⇒68ヶ/H）		25%	50%	75%	完了
5	10月	1係		出来高向上（59.7ヶ/H⇒60.2ヶ/H）		25%	50%	75%	完了
6	10月	1係		出来高向上（60.2ヶ/H⇒65ヶ/H）		25%	50%	75%	完了
7	10月	2係	リーディング	出来高向上（9.8ヶ/H⇒10.8ヶ/H）		25%	50%	75%	完了
8	10月	2係	アーム	出来高向上（ヶ/H⇒ヶ/H）		25%	50%	75%	完了
9	10月	2係		検査工数低減（4H⇒0H）		25%	50%	75%	完了
10	10月	1係	チルト検査	Wチェック廃止（2H/日⇒0H/日）		25%	50%	75%	完了
11	10月	1係		運搬工数低減（粗材置き場変更による）		25%	50%	75%	完了
12	10月	1係	運搬	粗材ラック自動化による運搬工数低減		25%	50%	75%	完了
13	10月	1・2係		水溶性油補充時間の工数低減		25%	50%	75%	完了
14	10月	起帰	油補充	付帯作業改善による労務費低減		25%	50%	75%	完了
15	10月	起帰	9号機	付帯作業改善による労務費低減		25%	50%	75%	完了
16	10月	起帰	8号機	増産用のストアー休日搬入を一部平日へ変更		25%	50%	75%	完了

※一度計画を立てたら消さないこと。中止する場合は取締役の承認を得ること。
※行・列・計算式の変更不可

このように、月次決算の数値の分析と現場のカイゼン進捗チェックが同時におこなわれるわけです。これも、現場のカイゼンを経営に結びつけるための仕組みです。

第4章
挑戦する風土への変革

風土を改革するのは仕組みではなく行動

自分が変化することでしか風土は変えられない

社長だけがいくらがんばっても、会社の変革で効果は出せません。従業員のみなさんに知恵を出してもらう必要があります。そのために、いろいろな工夫を徹底的におこないました。仕組みの整備ももちろんですが、風土改革のほうが大きいと感じてます。

風土を変えたいなら、仕組みの整備よりも、風土を変えたい人、上に立つ人が態度と行動を変える必要があります。「わかっている」「知っている」というだけでは他人ごとです。「自分が問題かもしれない」という可能性を含めて、自分が考えて動く必要があります。いくら口で「新しいことに挑戦」と言っていても、「他社事例は」「効果は確実か」

などと言って部下の提案を却下するようでは、だれも挑戦しようとしません。自分が変化することでしか、人や組織は変えられません。上に立つ人自身がリスクを取って自分の行動を変えることが必要です。

自分ごとと取るか、他人ごとと取るか

自分の行動を変えるためには、「問題を自分ごととする」ことが必要です。自分ごとと取るか、他人ごとと取るかで、立ち位置が大きく変わってきます。

他人ごと

- 知っている（つもり）、わかっている（つもり）、だから知ろうとしない
- 外から見てるだけだから、問題の表面しか見えない
- 「自分が問題かも」とは考えない
- 第三者的、コンサル的

自分ごとと他人ごと

他人ごと	自分ごと
問題だ！ 問題	問題
現場に丸投げ	自分も動く
自分は考えない	一緒に考える
知っているつもり	知ろうとする
自分は問題じゃない	自分も問題かもと考える

- 問題に関わる人が動けばいいと思っている

自分ごと

- 問題をよく知ろうとする
- 問題に向き合うから、本質が見える
- 自分の行動なども含めて問題と考える
- 一緒に考える
- 自分のことだから、自分も動く

旭鉄工の4つの風土改革

旭鉄工で実施した風土改革を振り返ると、次の4つに層別することができます。

- 付加価値ファースト

- 失敗を恐れずやってみる
- ほめる・楽しくやる
- 情報・ノウハウを共有する

　これからそれぞれのポイントについて述べますが、いずれも「行動をどう変えるか」が大事です。

付加価値ファースト

「人には付加価値の高い仕事を」＝製造業の付加価値

製造業の付加価値とは、原材料や部品に付加する価値のことを指します。利益の源泉であり、次のようなことによって生み出されます。

- ●製品の設計と開発
- ●生産プロセスの効率化
- ●品質の管理と向上
- ●カスタマイズと顧客サービス
- ●ブランド価値

トヨタ生産方式では、付加価値を生む作業を「正味作業」と呼びます。

「その作業は付加価値を高めるものなのか？」

それを考えることが大事です。

私は旭鉄工に転籍して以来、「人には付加価値の高い仕事を」と言い続けてきました。そこには「従業員に意味のある作業をしてもらいたい、ムダな作業はしてもらいたくない」という想いがこもっています。

一般的に、売価＝付加価値＋原価のように表されます。付加価値を最大化し、同時に原価を最小化することが、製品を顧客にとって魅力的なものにし、競争力を高め、利益の増加につながります。

原価を最小化することはカイゼン活動そのものですが、付加価値そのものを大きく上げるという考え方はそれまで旭鉄工にはありませんでした。さらに「新たな付加価値を創造する、拡大する」というポジティブな意味を強調するために、「付加価値ファースト」という表現に言い換えました。

以下、旭鉄工の具体的な取り組みについて述べます。

他社がやってないことをやる

次節の「失敗を恐れずやってみる」にもつながりますが、他社がやっていないことに挑戦するからこそ競争力になります。同じ製品であっても独自の技術で安価に作ることができれば付加価値を拡大することができますし、他社にない製品やサービスを創り上げることができれば価格競争に巻き込まれることなく高い付加価値を取ることができます。

そのために最も重要なのは、アンテナを高く張り、社外から情報を取ってくることです。

- 話題になっている新しいサービスを使ってみる
- 普段会わない人に会う
- 他社を見に行く
- 展示会に見学に行く・出展する

といったことです。以前は、社外の展示会に出張するのは一定以上の役職者だけでしたが、現在は幅広い層の方に出張してもらうようになりました。一見、自社や自社製品に何も関係なさそうな人やものでもいいので、そういったものに触れることが新しいアイデアのヒントになります。そうして得たヒントに基づいたアイデアが、従来の延長線上ではないものとして実現すれば、付加価値を向上させることができます。

イギリスの作家であるマーク・トウェインは「新しいアイデアとは既存のものの新しい組み合わせに過ぎない」と述べています。この考え方は、新しいアイデアが生まれる際に、それが過去のアイデアから派生するということを示唆しています。また、広告業界で活躍したアメリカの作家であるジェームス・ウェブ・ヤングは、広告の創造的プロセスについて「アイデアを生み出すためには、問題を明確化し、専門知識を収集し、情報を整理し、異なる情報を結びつけ、アイデアを洗練させる」という5つのステップがあると説明しています。いずれにしても、別のものや情報を組み合わせることで新しいアイデアが出ることを示唆しています。

じつは第3章で説明した「変遷図」は私がトヨタの車両運動エンジニアだったときに、開発するタイヤの要求性能をゾーンで示したグラフの考え方を応用したものですし、第7章「儲かるカーボンニュートラルの秘密」で説明するフィッティングという技術はステアリングのフィーリングの実測値から車両運動の内部パラメータを推測するという技術から思いついています。このように一見無関係な情報ややり方を持ってくることで新規の技術が生まれることがあり、その観点からも幅広いことへのチャレンジが必要です。

価格競争より価値競争

売上を増やそうとするとすぐに売価を下げたくなりますが、原価低減を伴わない値下げはNGです。赤字になるまで値下げしないと売れないのであれば失注したほうがいいと考えています。「忙しいのに儲からない」という状態になると、価格が高いという問題が隠れてしまいます。他社の価格が安くて失注したなら、自社の製品が高いという問題を認識することができます。価格競争ではなく価値競争により売価の維持もしくは値上げを狙うべきです。旭鉄工の工場見学は有料で、昨年から1・5倍に値上げしましたが、それでもいらっしゃるお客様が増えているのは、それだけの付加価値を提供しているからです。

もちろん、製品の図面が与えられている場合は自由度がないので、カイゼンによる原価低減をさらに徹底するか、自社の開発能力を向上させ独自の部品の製造に乗り出す必要があります。そのためにも、「他社がやってないことをやる」を普段から意識することが必要です。

高品質あるいは短納期などで価値を訴求するのももちろんですが、旭鉄工は広告ではなくメディアへの露出によるブランド価値向上を狙っています。そのためにも他社にない取り組みをおこなうことです。メディアに取材される可能性が高まり、「先進的な取り組みをおこなう企業」としての認知度が上がります。対外的だけではなく、社内的にも誇りをもって新しい取り組みへの挑戦を奨励することにもなります。書籍を出版するのもその一環です。

付加価値のない作業はやめる

付加価値のない作業は原価を押し上げます。それぞれの作業に付加価値があるかを考え、ないのであれば止めるという選択が必要です。風土を変えるのは仕組みではなく自分の行動です。ここでは私が率先しておこなっていることについて述べます。

単なる会議はWebが基本

旭鉄工には本社工場と西尾工場があり、移動は車で10分ちょっと必要です。それがもったいないので、私が社内の会議に出席する時はＷｅｂ参加が基本です。それは、単なる報告や討議が中心の会議にはリアルで出席することに付加価値がないからです。また、私がリアル出席すると、ほかのみなさんも同じようにしようとするので、それを避ける意味もあります。Ｗｅｂによる参加を一番徹底しているのは私ですが、本社と西尾間では多くの会議体でＷｅｂ会議が活用されています。

一方、現場の報告会は、私が出席して現地現物でカイゼン案を見てコメントすることに付加価値があります。そのため、必ず現場まで足を伸ばして参加します。

ハンコは捺さない

回覧された書類を理解し、承認することには付加価値がありますが、ハンコを捺すこと自体にはありません。しかし、回覧されてきた書類だけでは中身が理解できないものが多いうえに、時間をかけていちいち詳細を聞くほどのものとは思えず、形だけハンコを捺しているのではないでしょうか。ムダでしかありません。

極力権限移譲をおこない、それぞれの案件は決済者にしっかり見てもらうようにして、私が承認すべき書類を大幅に減らしました。そして、承認すべき書類は極力Ｓｌａｃｋでやりとりをして、ハンコを捺すこと自体は代行してもらっています。また、重要な案件はしっかり説明してもらってから承認するようにしました。回覧の手間や書類の滞留のムダもなく、承認のスピードも大幅にアップしました。

他社の方にも付加価値ファースト

他社の方と業務を遂行する際も、付加価値のない形式的なことはしたくないので、次のようにはっきりとお願いしています。

「対面でないと失礼という考えはありません、移動の時間がお互いもったいないので極力Ｗｅｂで済ませましょう」

「電話も極力避けてメールでお願いします。その際、冒頭に『いつもお世話になっております。』という定型文も要りません。余分な文字を打つのも読むのももったいないです。

単刀直入に要件に入ってください」

「極力電話は避けてください。お急ぎの場合、こちらが電話を取った時点で電話で話すことができるということなので、改めて『今お電話よろしいですか？』と聞く必要はありません」

「Ｓｌａｃｋでやりとりしている場合、スタンプで済むならそれで十分です。文字を打つのも極力省略しましょう」

「Ｗｅｂ会議の冒頭で『本日はお忙しいところお時間いただきありがとうございます』と言うのも止めましょう。本当にそうお思いなら、少しでも早く終わっていただけるとうれしいです」

このようにハッキリお願いすると、みなさん承諾してくださいます。こういう細かいところから、付加価値の追求という姿勢を積極的に示すようにしています。

失敗を恐れずやってみる

私が来た頃の旭鉄工は「以前からこうだった」「それはやったことがありません」と新しいことへの挑戦を避ける文化でしたが、それは衰退と同じです。会社が成長・発展するためには「失敗を恐れずやってみる」ことが必要です。その理由は次のとおりです。

- 失敗から学べる
- 新しいアイデアを生み出せる
- 社員のスキルアップにつながる
- 市場競争力を向上させる

この「失敗を恐れずやってみる」については、何といっても経営者・管理者の意識・姿勢が重要です。現場が何かやろうとしても上司に止められるようでは、どうにもなりません。風土変革を進めるのは経営者の行動です。

「失敗を恐れずやってみる」という風土を醸成するための工夫について述べます。

費用の低減よりも効果の最大化を考える

お客様の中には、費用のことしか言わない方もいらっしゃいます。そういう方は、往々にして「効果を出す」ことよりも「安くすませる」ことが目的となっているようです。大きな効果を出せば費用は問題ではなくなりますし、導入しただけで使わないならば安くても意味がありません。

旭鉄工は年間数千万円のiXacs使用料をi Smart Technologiesに支払っています。しかし、電力料金だけで年1.5億円、労務費で年4億円の効果があるわけです。累計効果は定かではありませんが、総額30～40億円の効果をDXによってあげています。費用対効果は出るものではなく、出すものです。

「効果を出すにはどうすればいいか？」

それを考え実行するのが経営者・管理監督者の仕事です。

小さな挑戦の機会を作る

「カイゼンは小さなアイデアの実行の積み重ね」ですから、「製造ラインの能力を30％向上させました」といった大きなテーマではなく、カイゼン経験の少ない従業員が「こういう工夫をしました＝ちょこっとカイゼン」という報告をする会もあります。

現物を見て、「こうすればよくなるのでは」と考え、やってみる。

それを周囲が認める。

そんな小さな挑戦で成功体験を積み重ねることが、大きな成功には必要です。

また、旭鉄工がＩｏＴによるカイゼン活動を始めたころは、ＣＴ（サイクルタイム）1つとっても10秒～20秒ほどの短縮ができることもよくありました。ところが、今は「やりつくした状態からさらに難易度の高いカイゼンが必要。ＣＴ短縮は0・1秒との戦い！

現場の意識も以前とは違う」と旭鉄工コンサル事業部のメンバーは言います。レベルが上がったことにより新たなアイデア創出が必要で、小さなカイゼンを積み重ねる努力の重要性が上がっています。

怪我以外は失敗していい

いつも「怪我以外は失敗していい」と言っています。取り返しのつかない失敗はもちろんダメです。その筆頭が、怪我をすること。それに対し、「やってみてダメなら戻せばいい」ような失敗はかまいません。そうでないと挑戦してもらえません。そういう姿勢を経営者が示す必要があります。

実例があります。旭鉄工のカイゼンでは、CTを徹底的に短縮します。そのために設備の中でロボットが製品を運搬する経路も最短距離を通そうとします。結果、ロボットの軌跡は設備内の部材などに干渉するギリギリを通過させることになります。

ある時、「スレスレを狙いすぎてロボットをぶつけました」という報告を受けました。おそらく100万円単位の修理費が必要でしょう。普通の経営者なら「次からは慎重に調べて、一定の余裕代をもってロボットを動かすように」とでも言う場面でしょう。しかし私は、「たまにぶつけるくらい攻めるのでちょうどいい」と言っておきました。なぜなら、私が注意するように言おうが言うまいがどうしたって気をつけるだろうし、100万円単位の損失が出たとしてもそのことで従業員を責めず、あくまでCT短縮を追求する姿勢を示すほうが結果として会社は得だろうと考えたからです。

詳細な計画立案を求めない

新しいことへの挑戦は「やってみないとわからない」と考えてます。神様じゃないんだから、日程や費用の詳細を一生懸命作ることにそれほど意味はないでしょう。まずは小さくやってみると気づきがあり、それで展開が変わります。

実際、カーボンニュートラルの推進がそうでした。まずは電気・ガス使用量のデータを取ってみました。すると、使用量のデータだけではムダが見えないこと、設備の待機電力が大きいことに気がつきました。そこからムダを見える化する技術を思いついて、やってみたら高精度に電気使用量のムダが見える化でき、結果として排出量を大幅に低減できました。最初からそんな見通しがあったわけではなく、やりながら軌道修正をしてきました。そうやって他社がやってないことを始めてこそ競争力になります。

細かい指示をしない

部下が出してきた書類に、ああでもないこうでもないと指摘して、何度も差し戻す方がいらっしゃいますが、モチベーションと生産性の低下につながります。社内の資料などは少々まちがっていたとしても重要なものでなければ極力変更を入れず、スピード感を優先することが生産性の向上と挑戦を後押しします。

会社のＷｅｂサイトの更新された内容がちょっと気に入らないことがありましたが、そこで「次回から公開する前に見せて」とは言いませんでした。これに限らず、だれかがすでにやったことが私の意図と多少ずれていたとしてもあえて黙っていることもあります。あまり細かいことを言うと「事前に社長にお伺いを立てる」ことになり、スピード感を損ねるからです。

完璧を求めない

旭鉄工の創業当初から生産している部品に、エンジンのシリンダーヘッドに使われる「バルブガイド」があります。1日30万本と、非常に数多く生産される部品です。

自動車部品の例にもれず、性能に悪影響をおよぼす傷などがないことを保証する必要があり、以前は全数について従業員が1個あたり1・5秒程度で傷などの目視検査をおこなっていました。不良率は0・1％。私が来る以前から、この目視検査を画像認識技術を用いて自動化する動きはあったのですが、100％の信頼性を目標としていたので難易度が高く実現しませんでした。

「このままではいつまでも実用化できない」と考え、方針を次のようにしました。

「精度は60％あたりでいい。ただし、OKと判定されたものにNGが混ざってはいけない」

「NGと判定されたものにOKがあってもいい。それらについては人間が目視検査をおこなう」

バルブガイド

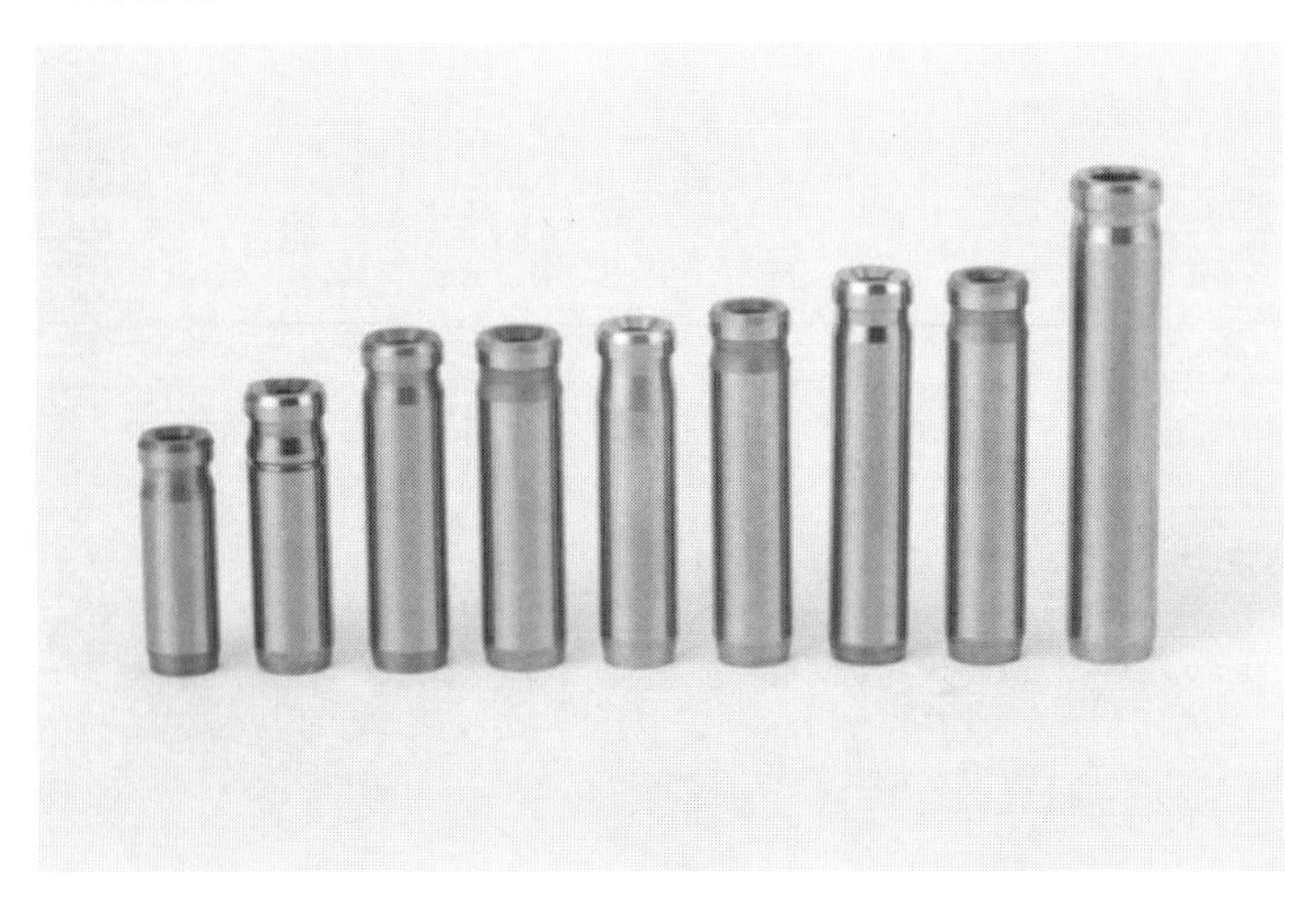

現在は約80％の精度が確保されており、従来の5分の1の人員で20％の製品の目視検査をおこなえばよくなりました。技術開発ではなく労務費削減が目的ですからこれでいいのです。現在は精度90％を目指して機械学習などによるレベルアップを図っています。

直接関係ない領域に手を出してみる

同じ仕事ばかりしているとカイゼンも挑戦もしない風土になってしまいます。新しいことに挑戦し続けることで、従業員は育ち、会社が活気づきます。例をいくつか上げます。

フェイスシールドでBtoCに挑戦

２０２０年4月、コロナ禍で多くの会社がマスク製造に乗り出す中、他社と違うことをやろうと「世の中に新しい価値を提供する」フェイスシールドづくりに挑戦しました。ＢｔｏＣの製品を手がけるのははじめてのことでした。

きっかけは、眼科医である弟から「内側にかけたメガネの曇らないフェイスシールドが欲しい」と要望されたことです。「鼻の頭と左右の耳の上を通るフレームにより吐息でメガネが曇らない」構造とし、３Ｄプリンターおよび自動車部品製造で培ったＣＡＤ設計、ＣＡＥ強度解析、実物の３万回の耐久試験などの技術を活用して開発。装着感、強度、剛性に優れ、形状は顔に沿って下側が絞られたスタイリッシュなものとしました。

製品は単体で見ても美しく、サングラスの代用も狙いスモークも設定。また、装着感の良さと眼鏡が曇らない点から、現状で医療関係者に多くお使いいただいております。

未経験の競技用部品を開発

アイスアックスという道具を使って、氷や人工の壁を高速で登るアイスクライミング

フェイスシールド

というスポーツがあります。日本人トップ選手であり、友人の門田ギハード選手から「軽くて高剛性、かつ持ちやすい日本製アックスが欲しい」と要望があり、開発しました。

２０１９年２月のＵＩＡＡ Ｉｃｅ Ｃｌｉｍｂｉｎｇ Ｗｏｒｌｄ Ｃｕｐデンバー大会では、門田ギハード選手が日本男子歴代２人目の決勝進出を果たし、歴代最高位タイの８位。２０２０年には、日本女子トップクライマーの小武芽生選手にアックスを提供、ＵＩＡＡ Ｉｃｅ Ｃｌｉｍｂｉｎｇ Ｗｏｒｌｄ Ｃｕｐ韓国・チョンソン大会では８位、同時開催されたアジア選手権では日本人女子初の表彰台３位など、数々の実績を残しています。

自動車部品製造とはまったく違うスポーツ競技道具の開発は大変でしたが、楽しみながら遊び心

ワールドカップに挑戦する門田選手

をもって取り組んでくれました。新しいことに挑戦し、「技術を活かしてものづくりをし、それによって使う人が喜んでもらえる」というものづくりの原点を経験すること。それこそが、社員の成長を促す人づくりであると考えています。

変わった挑戦をしたことで、ＮＨＫにも取り上げられましたし、雑誌『ＡＥＲＡ』の記事にもなりました。

ＢtoＣから入るＢtoＢ

社外のデザイナーと協力して商品開発をおこない、Ｍａｋｕａｋｅのクラウドファンディングを通じて販売するという、自動車部品製造とは異なる新しい製品づくりへの挑戦をしました。

「経験のない新しい工法に挑戦し従業員を育て、自動車部品への拡販につなげる」

ことを狙いとし、利益を出すというよりは、〃人づくり〃を最優先とした位置づけです。

商品開発には、形状決め、製造欠陥、見栄えなど、自動車部品とは異なるさまざまな多くの苦難がありました。しかし、多くの試行錯誤や挑戦の結果、1年という短い期間で4商品をMakuakeクラウドファンディングで発表、約1000万円の支援が集まりました。

- チタン加工に挑戦　↓　チタンまな板〃SIKI TITANIUM CUTTING BOARD〃
- ステンレス鍛造品に挑戦　↓　ステンレス鍛造調理器具〃ウチグ〃
- チタン鍛造品に挑戦　↓　チタン鍛造　ボディーケア・アイテム〃pause〃
- 難易度の高い形状に挑戦　↓　鉄鍛造　ホットサンドメーカー〃FOG〃

新しい工法に挑戦した新材料の引き合いも多くなり、次世代自動車部品のステンレス鍛造品の試作を受注するなど、拡販にもつながっています。

チタンまな板

ステンレス鍛造調理器具

ほめる・楽しくやる

お金よりもほめられることこそが報酬

「カイゼンをおこなった従業員には報奨金を出してるんですか」といった質問をしばしばいただきます。全社的には営業利益の額によってボーナスの月数が決まりますが、1つ1つのカイゼン活動に対する報奨金は出していません。それは、金額による効果より、「ほめられること」「周囲から認められること」の影響が大きいと思っているからです。

個人を表彰する仕組みとしては、「社長賞」があります。スタートは2016年頭、現在iSmart Technologiesのチーフコンサルタントになっているメンバーが、IoTを使ったカイゼン活動で生産性を約60%向上させたときに「社長賞」を創設し、仕事始めの日の全社集会で表彰しました。そうすると、「なぜお前は表彰されたんだ?」と質問されるようになり、それに対し「IoTってのを使って、こういうカイゼンをして、こういう結果を出したら表彰された」と答えていたそうです。すると、周囲も「そのＩｏＴを使ったカイゼンをやってみようか」と、だんだん味方が増えていくようになりました。

横展卒業式で社長自らカイゼン活動をほめる

カイゼン活動で目標を達成したら「横展卒業式」でメンバーが社長に報告します。

- 背景　：残業をおこなっている、もしくは予想されるなど、カイゼンの必要性
- 目標　：残業をゼロにして定時稼働を実現するなど
- 内容　：具体的にどういうカイゼンをおこなったか
- その他：工夫した点、苦労した点、失敗したことなど

これらについて、現地現物で報告をしてもらいます。

自分ごととして考えてほめる

報告に対して、他人ごとのようにコメント（＝評価）するのではなく、自分ごととして考えて、モチベーションが上がるように良いところを見つけてほめます。「これおもしろいね！」「これ、よく思いついたね！」といった具合です。その後に「ここはこうしてくれるとうれしい」「次からこうしてくれるともっと良くなる」とコメントします。そして、社長のコメント欄を記入し、「よくできました」スタンプを捺します。

「以前、カイゼンは罰ゲームだった」と弊社のチーフコンサルタントは言います。カイゼン活動の順番が回ってきて、時間をかけて一生懸命にやって報告しても、報告会では文句ばかり言われて叱られ、ちっともほめられず感謝もされない。「自分の順番が終わったら、もうカイゼンなんてやらない」という認識だったそうです。

じつは、これは多くの会社で見られる光景ではないでしょうか。報告に対し、

「これができていない」
「あれは考えたのか」
「これが抜けてるんじゃないか」

「もっとよく考えろ」

という具合に経営者や管理監督者は厳しいコメントをすることが多いと思います。「カイゼン効果を出してもらって、会社が儲かるようにする」のがコメントする目的のはずですから、モチベーションを下げるこのようなコメントは目的と合っていません。厳しいコメントをすることで「カイゼンを罰ゲームに」するべきではありません。

報告会の結果をデジタルで共有

横展卒業式が終わると、最後にみんなでピースサインをして写真を撮ります。

さらに、横展卒業式で社長に報告したことをその写真とともにビジネスチャット「Slack」に速やかにアップします。内容は

「○○ラインで卒業報告をおこないました。今後も0・1秒に拘ってカイゼンを進めていきます」

「○○ラインで卒業報告をおこないました。社長からこういう点をほめられました」

といった、今後の決意や社長からほめられた点が書いてあることが多いです。

ホーソン効果とピグマリオン効果というものがあります。「ホーソン効果」とは、注目を浴びることでその期待に応えたいという心理が働き、良い結果をもたらす効果のことす。ピグマリオン効果とは、他者からの期待を受けることで仕事の成果が上がったりする効果のことです。

「オンラインとオフラインの両方で注目を集める機会を設けるとともに、社長からの期待を伝達する」ということが、先ほどのホーソン効果とピグマリオン効果の視点からやるべきことに合致しています。今後の決意やほめられたポイントの記述によって、私や会社の方針が社内で共有されることにもなります。また、「ウチのグループもがんばって報告しよう」となります。

このように、横展卒業式は単なる節目の報告会ではなく、モチベーションアップ、方針の徹底、ノウハウ共有など複数の目的を持った活動になっています。

遊び心を持つ

Slackでの勤務開始報告

自由にアイデアを出してトライしてもらうためには、遊び心も重要だと思っています。「業務に直結しない内容をＳｌａｃｋに投稿してもかまわない」というのもそうですが、それ以外にも普段の業務の中で遊び心を表現することが必要です。

たとえば、ｉＳｍａｒｔ Ｔｅｃｈｎｏｌｏｇｉｅｓの勤務開始報告はＳｌａｃｋでおこなわれますが、その時に私の気に入った投稿がこちら。

ちなみにこの猫、後日談があって「猫が脱走したので始業を遅らせていいですか」と昼休みにＳｌａｃｋで連絡があったので、ＯＫし、まずは捕獲してもらいました。

迷い猫のご連絡

先の例とは別に、旭鉄工西尾工場でも猫の捕獲作戦がありました。「迷い込んだ子猫に注意」→「捕獲しました」→「引取り先は決まっておりますのでご安心ください」という投稿があり、気に入ったので私がお礼の投稿をしています。

アサヒスーパードライ活動

どこかのビール会社の商品の話ではありません。私が2013年に来た頃は、今よりもかなり現場が汚く、床が切削油などで濡れていました。それを乾いた＝綺麗な現場にするのが「アサヒスーパードライ」活動です。だれが付けたのかはわからないのですが、秀逸なネーミングだと気に入っています。

設備から油が漏れないようシールをしたり、油が飛散しないようついたてを作ったり、ビニールでカバーをしたりなど地道な活動です。しかし、綺麗な現場になると異常を発見しやすくなり品質も向上しますし、そもそも掃除をしなくて済む状態になれば生産性も向上し利益にも貢献します。私が来た2013年とは見違えるように綺麗になってい

迷い猫のご連絡

14:57　10月16日 (月)
[迷い猫のご連絡]
西尾工場内　廃水処理場付近

現在確保に動いてますが、一進一退の攻防戦を繰り広げてます。
逃げ足が早く警戒心の強い子猫のため苦戦中です

現在、処理場内に留まってますが
隙間からトラックヤードに逃げ出す可能性もあります。
ご注意ください

KIMG20231016_144339977.JPG

16:01
無事に子猫を確保いたしました。
ご協力ありがとうございました

KIMG20231016_155028138.JPG

16:39
皆さんご心配されているかと思いますので展開いたします。
子猫の引取り先は決まっておりますのでご安心ください
5　27　2　1　1　3

木村哲也 17:13
捕獲と引き取り先確保お疲れ様でした そしてほのぼの投稿ありがとう
(編集済み)
1　7　1　3　1

危険予知自主活動

では、お題です
2022年12月21日
機械をメーカーに出荷する為の積み込み
大輔さん（仮名）が、仮置きのバンギを差し込もうとしている所です
＜めっけ役の皆さん＞
12/23までに危険個所を上げて下さい
KIMG0156.JPG

ますが、引き続きレベルアップを図ります。

危険予知自主活動

有志の活動で、自主的に危険予知訓練をおこなっています。アップロードされた写真の中から危険個所を探してコメントする。こういう楽しみながらの活動がおこなわれています。

おもちゃくらい買えばいい

あるとき、Ｓｌａｃｋのあるチャンネルに「Ａｍａｚｏｎで売っている蜘蛛型ロボットが欲しい」との従業員の書き込みがありました。たかだか１万５０００円程度のものだったので、「何かうまい

こと理由をつけて買って」と返信しました。結果、その従業員は部長まで巻き込みそのロボットを購入しました。そして別件で私に報告する機会があった際「こういうふうにコントロールできるようになりました！」と報告してくれました。後日、彼はプログラミング言語のＰｙｔｈｏｎを自主的に勉強してＥｘｃｅｌとリンクさせ、業務の効率化を図ったりもしてました。１万５０００円程度の投資で従業員が楽しく自主的に勉強してレベルアップしたわけです。経営者としてとてもうれしく思いました。

メディアへの露出に積極的に取り組む

メディアへの露出は対外的な宣伝効果だけではなく、従業員にとってもやりがいにつながるので積極的におこなっています。心がけているポイントは次の３つです。

①世の中の新しいあるいは旬のネタに積極的に取り組む

ＩｏＴ、ＡＩスピーカー活用、カーボンニュートラル、ＣｈａｔＧＰＴなど

②「映える」映像で、多くの人にとってわかりやすい事例とする

アイスアックス、ＢｔｏＣなど

③他社のアイテムを組み合わせ、先方の宣伝材料として使ってもらう

ＡＩスピーカー、Ｓｌａｃｋ、ＳＯＲＡＣＯＭボタンなど

今後も他社に先んじてネタを作り、メディアへの露出増を図ります。

情報・ノウハウを共有する

情報やノウハウを共有することは、次の理由から会社にとって必要不可欠です。

- 重複作業の削減
- 生産性の向上
- 顧客満足度の向上
- 新しいアイデアの発見と刺激

情報やノウハウを共有することで、同じ作業を複数の人が重複しておこなうムダを減らすことができ、生産性を向上させることができます。また、社員同士で情報やノウハウを共有することで、顧客にとってより良いサービスを提供することができ、顧客満足度を向上させることができます。さらに、新しいアイデアを発見したり、刺激を受けることで、会社全体の成長を促すことができます。

以下、旭鉄工でおこなった具体的な事例を示します。

Slackを利用し、投稿を促す工夫をする

ビジネスチャットであるSlackを積極的に活用しています。コミュニケーション活性化・高速化、ノウハウ共有、セキュリティ向上、方針の徹底といった目的があります。その典型的な例の1つが、前述の「横展卒業式」での活用です。Slackの利用にあたっては、次のような方針を掲げています。

- 沈黙は金ではない
- 絵文字推奨
- 雑談歓迎

コミュニケーションツールですから、書き込んでもらうことが大事です。そのためには経営者や管理者が積極的に書き込む必要があります。その姿勢を示すた

下記私の書き込みへの絵文字

め、初期のころ私は次の投稿をしました。

「Ｓｌａｃｋはコミュニケーションツールです。積極的な情報発信と、レスポンスが大事です。特に #自由スペース では仕事と無関係な発信で構いません。どこどこのレストランが美味しかった、こんなイベントに参加した、こんなところに行った、などでＯＫです。発信まではなかなかできない人は、絵文字で反応を返してください。どの絵文字を選ぶとか決まりもありません。猫でも犬でも、内容と関係ない種類でもいいです。新しい絵文字も各人勝手に追加して使ってください。とにかく反応することが大事。「沈黙は金」ではありません。コミュニケーションに参加していることを表明してください。楽しくやりましょう。」

この書き込みに対して、いろいろな種類の絵文字が好き勝手に押されます。それぞれの絵文字の種類に、たいした意味などありません。反応してもらうことが大事です。

もちろん、意味のある絵文字もあります。Ｓｌａｃｋ上の私の指示に対しても、

カイゼンノウハウを写真でかんたんに共有

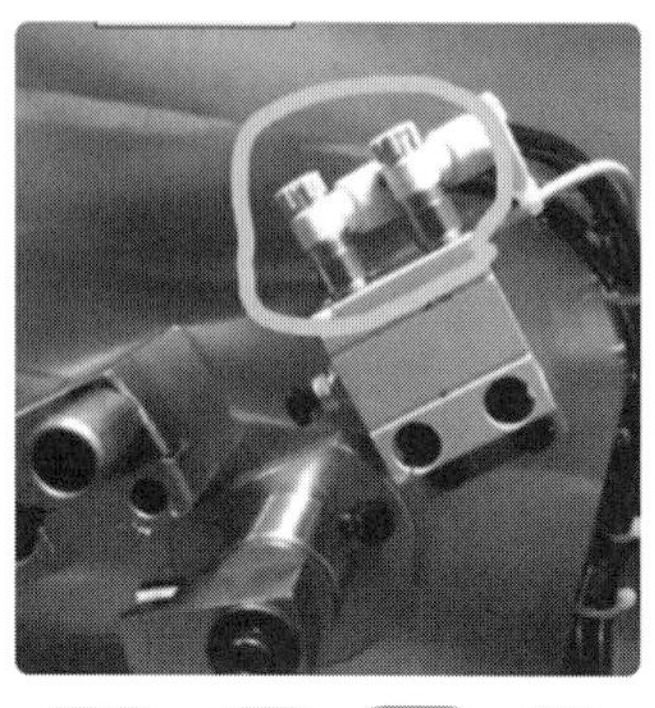

11 4 1

「承知しました」と文字で打つのではなく「1 1」の絵文字で十分。「そんなことに時間をかけずに、付加価値の高いことをやろう」という意思の表れです。

Slack上でノウハウを共有

カイゼンノウハウの共有もSlack上にチャンネルが複数あり、関係するメンバーで活用しています。

製造カイゼン事例チャンネル

写真は、左がカイゼン前、右がカイゼン後です。センサーの向きを上下逆にすることで、切粉が引

トライしている内容およびその結果などが即座にわかる

08:48　今日

R/L　OP30-1＆2号機　**T2：中引きのニック付きエンドミル**

刃カケ対策の効果確認が終わりました。

結果

効果ありOK

改善前

新品エンドミルをつけると刃カケ。

（R/L　OP30　全台。層別して調査後、確認すると4台中すべて新品が刃カケ。）

改善後

新品エンドミルで**4台中すべてカケなし。（合計5本確認OK）**

やったこと

切削条件変更。1刃送りを小さくした。

っかからなくなり、掃除の時間が短くなる、というものです。詳細を書く必要はありません。かんたんなコメント付きで写真をアップロードすればOK。詳細な情報が必要なら、投稿した人に聞くか実際にその現場に行けばいい。紙で回覧するよりもかんたんにノウハウが共有できます。

部品のコスト削減チャンネル

難しい加工をおこなっている部品では、関係者で情報共有しながらカイゼンを進めています。トライしている内容およびその結果などが即座にわかりとても便利で、カイゼンが速く進みます。

ここでも、お互いネガティブな指摘はせず、ポジティブに進めるのがポイントで、メンバーもノリノリで取り組んでくれています。生産開始から

1年以上経過しても粘り強く現場と間接部署が協力して活動しており、品質向上にもつながっています。なかなかできることじゃないと思います。

こういったチャンネルが自主的に作成され、活用されているのが我々の強みです。

危険個所共有チャンネル

「安全」というチャンネルがあります。あるとき、製造現場の課長が路面の破損による危険個所の写真をアップロードしてくれました。すると、わずか3時間後に総務から補修の写真がアップロードされました。

従来であれば、デジカメで写真を撮って、PCでWordか何かに貼り付けて、紙に印刷、回覧物として課長のハンコをもらって、部長のハンコをもらって、社内便で総務に送る、という手順だったわけです。それがスマホで撮った写真をかんたんなコメントを付けてあげるだけ。圧倒的に速いスピード感と低いコミュニケーションコスト。以後、似たような危険個所が社内からどんどん上がるようになりました。

かんたんなコメント付きでスマホで撮った写真をあげるだけで対応

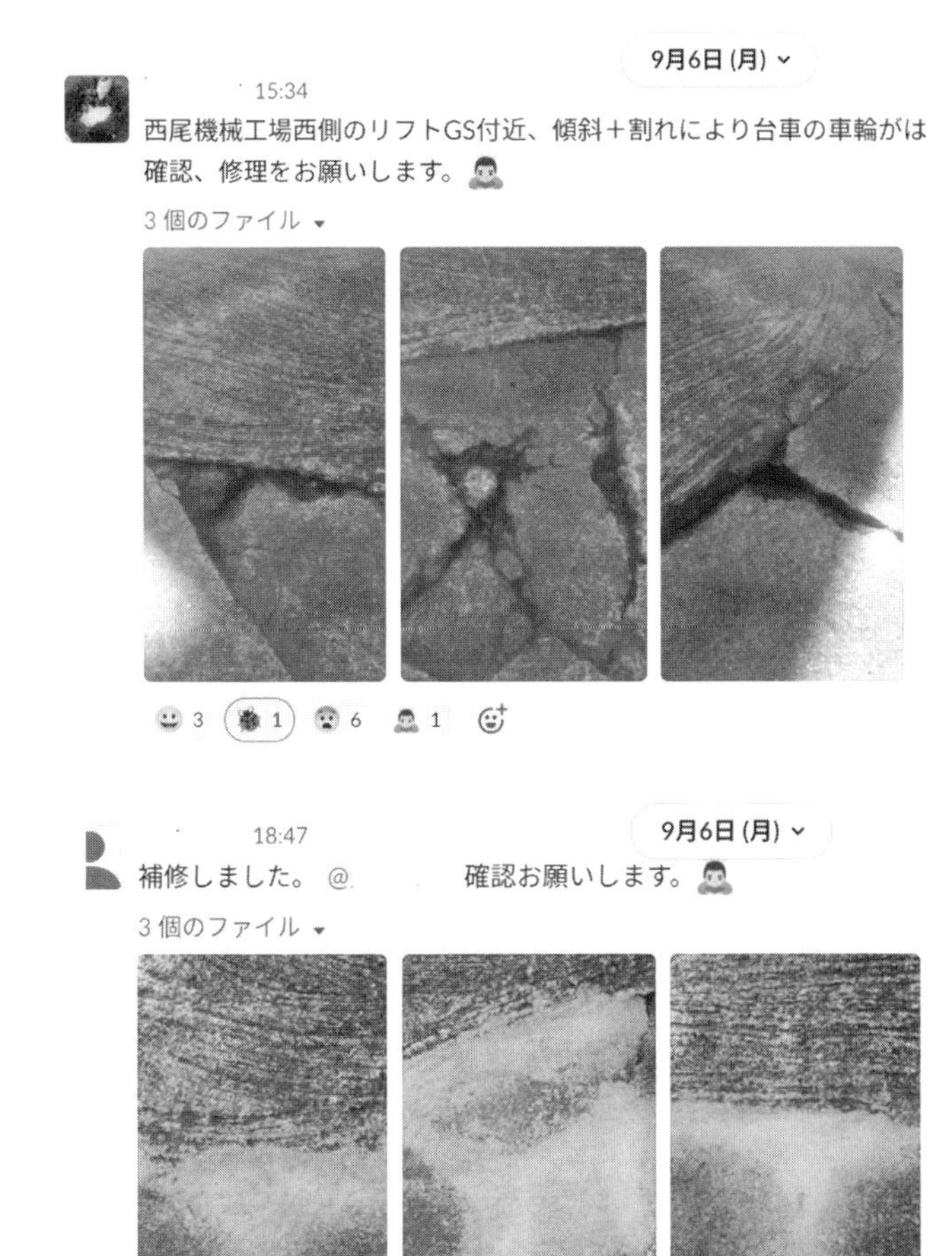

カイゼン塾のお客様とのチャンネル

社内だけではなく、カイゼン塾と呼ばれるコンサルティングのお客様ともＳｌａｃｋを活用してコミュニケーションしています。

●メールより気軽に話ができる
●疑問を素早く聞けるし、聞きやすい
●日程調整も早い
●先方が内容を確認しているかが絵文字によるリアクションでわかる
●現場をスマホで撮影して投稿することで課題や進捗もすばやく共有できる
●目標その他の認識合わせもやりやすい

といった利点があり、その結果活動が効率よく進むと実感しています。

column　旭鉄工のカイゼン活動はゲーミフィケーション

ゲーミフィケーション（Gamification）とは、「ゲームのデザイン要素をゲーム以外の物事に当てはめること」によって、ビジネスなどの場面でのモチベーションやエンゲージメント、パフォーマンスの向上を狙う手法です。Ｆｉｏｎａ Ｆｕｉ－Ｈｏｏｎ Ｎａｈ※らは、ゲーミフィケーションのデザイン要素を以下の８つにまとめています。

①チャレンジ　②インタラクティビティ　③ゴール志向　④社会的つながり
⑤競争　⑥達成　⑦強化　⑧楽しみ志向

※ Nah, F.-F.-H., Eschenbrenner, B., Claybaugh, C.C., Koob, P.B. (2019). Gamification of enterprise systems. Systems

https://doi.org/10.3390/systems7010013

それぞれの要素について旭鉄工のカイゼン活動を当てはめてみると、ゲーミフィケーションそのものであることがわかります。

①チャレンジ

挑戦が奨励され、小さなカイゼン=挑戦を常に実施できる

②インタラクティビティ

カイゼンの成果がすぐにデジタルで確認でき、また社内でも認知される

③ゴール志向

部署およびチームの明確な目標に向かって活動がおこなわれる

④社会的つながり

現場での報告会および社内のチャットツールで賞賛とフィードバックを得ることができ、メディアを通じて世間にも発信される

⑤**競争**
多くのチームがカイゼンをおこなっており、複数のチームが卒業式で同時に報告する

⑥**達成**
社内のノウハウが豊富で、周囲の協力も得ることができて目標が達成される

⑦**強化**
カイゼンを実施していくなかで自分たちの実力がアップしていることが数値で実感できる

⑧**楽しみ志向**
報告の手法や表現方法に自由度があり、工夫し楽しみながら報告ができる

ゲーミフィケーションという言葉を意識して変革したことはありませんでしたが、結果としてよく当てはまっています。

第5章

カイゼンの民主化

カイゼンのナレッジマネジメント

旭鉄工は、カイゼンを民主化しだれでもできるようにすることを目指し、これまで個人持ちだったノウハウを共有しカイゼン人材を育てることに注力してきました。本章では、そのナレッジマネジメント手法と人材育成をおこなう組織について述べます。

ムダを見つけるには「足を見て、手を見て、目を見よう」

三河弁で「うちの嫁はよう動く」という表現があります。これは「我が家のお嫁さんはいつも動き回っている働き者です」という意味です。しかし、トヨタ生産方式では「ムダな動きは働きではない」と考えます。忙しそうなその動きに意味があるのか常に考える必要があります。ムダな動き＝付加価値のない動きをなくしていくのがカイゼンです。

写真は、実際に近所のスーパーのレジであった例です。私がレジのテーブルに置いた

スーパーのレジで見つけたムダな作業

買い物かごを、女性従業員が持ち上げて左に動かしていました。テーブルの途中に段差があるので、そうせざるをえないわけです。

現時点でこの動作は必要であり仕事です。しかし、テーブルの段差がなければかごを持ち上げずに手で引っ張るだけで済むわけです。楽ですし作業も早くできます。

旭鉄工の製造現場であればこういう動作は見過ごされません。上司は「部下に余計な作業をさせている」と気がついて、テーブルの高さを変えて段差を解消するでしょう。このスーパーではおそらく管理者にそういう視点がなく、作業している本人もこれがあたりまえになっているのでしょう。

このようなムダは、職場のあちこちにあります。ムダをムダであると認識できる管理者や従業員が増えれば、生産性は向上していきます。

人の動作のムダを見つけるには、「足を見て、手を見て、目を見よう」と言っています。1歩余分に歩けば1秒、手を10㎝余分に動かせば0・1秒。目の動きは何秒というわけではありませんが、ムダな動作が含まれがちです。

スーパーのレジの例でもわかるように、このような見方は製造現場のみならずサービス業であっても同じことです。厨房の料理人の動きが見えるレストランがありますね。私はそこで働く人の動きを見ていて、すぐムダが気になります。たとえば、よく使う調味料が上のほうの棚に置いてあったりすると、「使用頻度の少ない調味料と置き場所を入れ替えればいいのに」と思ってしまいます。これまで人が集まっていた会議も、移動せずにWeb会議で済ませることもできます。人の動作だけでなく、設備でも同じことです。製品を運ぶロボットの軌跡が遠回りしていることはよくあります。

このように着眼点を理解すればムダが見え、対策を思いつきやすくなります。

「横展アイテムリスト」がカイゼンをスピードアップする

2014年以前の旭鉄工では、実施したカイゼンの内容は実施したメンバーが紙ペースでバラバラに保存していたため検索や共有ができず、すぐ隣の製造ラインで実行されたカイゼン内容すら共有されませんでした。これはカイゼン活動の活発な会社でも見られる光景です。定期的に集まっての座学、工場でのカイゼン活動実践や指導はおこなわれますが教材の多くは紙ベースで、カイゼン指導は先輩・同僚からのＯＪＴが主であり体系だったカリキュラムはないこともあります。よって、教育内容やレベルはともに働くメンバーのレベルや担当する事例に依存してしまいます。また、カイゼン案を考えるためには、ノウハウを人に聞くか分厚い紙ファイルから得られる限られた知識と経験に頼っていました。カイゼンが個人スキルに依存している状態です。

この状態を脱するために、２０１５年から「横展アイテムリスト」と名付けたリストを用いてカイゼン事例をデジタル化して共有し始めました。このリストの目的は、過去のノウハウを横展開することによるカイゼンのスピードアップです。

カイゼンをおこなうにあたり、まずはこのリストを参照して横展開できるアイテムを探し、カイゼンを実行します。目標を達成すればそれでいいし、未達の場合は再度アイテムを横展アイテムリストから探し出すか、新規で考え出します。カイゼンが完了した後、必要なものは横展アイテムリストに追記します。これにより過去のノウハウをもれなく展開できます。

横展アイテムリストで問題解決、人材育成をしやすく

横展アイテムリスト（ノウハウ集）共有

horizontal expansion item list

従来

停止、サイクルタイム、電力

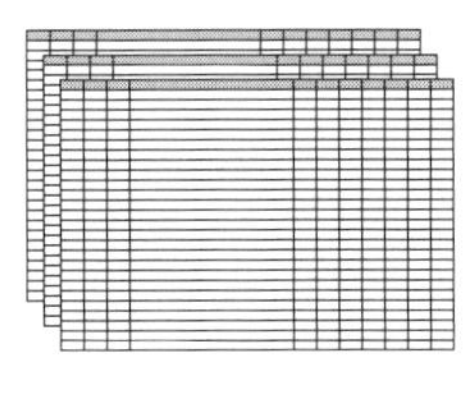

社内で共有

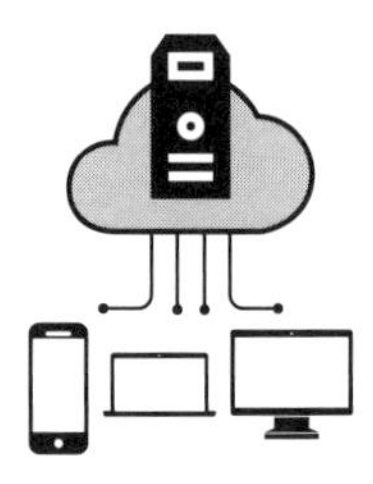

社内で共有

問題を直せない

問題解決、人材育成

これは人材育成にもなります。横展アイテムリストを使って自分の担当ラインで使えるノウハウを探すことで過去のノウハウを学ぶことになるからです。カイゼン経験の少ないメンバーをリーダーがリストを使いながら指導することで、早く習熟させることができます。

カイゼンの9つの上位概念「イマドキフキソカチ」

旭鉄工のノウハウの塊である「横展アイテムリスト」を使うことでカイゼンが素早く進みますが、リストの活用だけでは目標を達成できず追加のアイデアが必要なこともあります。また、横展アイテムリストには過去のたくさんの事例が登録され

ていますが、多くのアイテムはそのままではほかのラインに適用できるわけではありません。事例を見て想像力を働かせて、対象ラインに合わせた具体案を出す必要があります。いわば「抽象化」と「具体化」がセットになっているのです。

カイゼンに不慣れな人でも新しいアイデアを思いつきやすくするため、カイゼン内容をかんたんな言葉で抽象化した「カイゼンの上位概念」を作りました。これは、カイゼンの切り口とでも言うべきものです。たとえば、先ほどの人の動作のムダを見つけるときの「足を見て手を見て目を見よう」ならば、上位概念は「距離」であり、「人の動作の距離を短くすることを考えましょう」となります。

まず過去のカイゼン事例の内容を抽象化して、9つの上位概念を抽出しました。さらに、それらを覚えやすくするために、語呂合わせを作成しました。

今どき不起訴勝ち

イ　要るの？

マ　待ちを短く

ド　同時におこなう

キ　距離を短く

フ　付帯作業をなくす
キ　気遣いをなくす
ソ　速度を速く
カ　管理をする
チ　チョコ停をなくす

それぞれについて、かんたんな例とともに解説します。

なお、これらはあくまで対策を考えるための着眼点です。それぞれは対策だったり、注目すべきポイントだったりと、相互が完全に独立したものではありません。たとえば、待ちを短くするための対策が距離の短縮だったり、同時におこなうことだったりします。そこは厳密に考える必要はありません。

イ＝要るの？

廃止できる（＝不要な）作業や工程がないかという着眼点です。
製造現場の多くでは、じつは要らない作業や工程が残ってます。

「昔の名残で作業が残っていた」
「別の設備のプログラムのコピペだった」
「昔の形状だと必要だったが、今は不要」
「客先で品質不良の指摘を避けるため、念のため回数を増やした」

といった理由で残っているものが多くあります。

「プログラムの不要な行を削除する」
「材料の品質を変え、焼き入れを廃止する」
「切削油の流し方を工夫し、切粉が溜まらないようにして、掃除をなくす」
「品質基準を見直して、検査を廃止する」
「品質の限度見本を客先と取り交わし、過剰な手直しや検査を廃止する」
「ボルトで固定されていた治具をワンタッチで脱着できるようにして、ボルトの付け外しをなくす」
「油塗布を止める、仮置きしない、持ち替えない、向きを変えない、手数を減らす」

「ワーク自動払出を付けて、仮置きをなくす」
「治具のセット方向をすべて同じにして、持ち替えをなくす」

マ＝待ちを短く

ここでいう「待ち」には、２つの意味があります。

１つは、製造設備に入っている各種タイマーの設定を見直す、という意味です。たとえば、製品を搬送するロボットや製品を固定するクランプなどが所定の位置に移動したかを確実に検知するために、２秒程度静止して確認するタイマーというものがあります。しかし、２秒である必要があるのか、０・５秒でいいのではないか。設備メーカーは余裕を持ってタイマーを設定するものです。問題ないか確認しながら、少しずつ短くします。

もう１つは、「待ち」がＣＴ（サイクルタイム）短縮のアイデアを考えるときの着眼点になるという意味です。

「設備の前で扉が開くのを人が待っている」

「扉が完全に閉じるのを設備が待ってクランプを動作させている」

というように、待つのは人だったり設備だったりします。待ちに気がついたなら、「扉が早く開くようにできないか」と対策を考えることになります。

「各種タイマーの設定時間の短縮」
「外段取り化により、段取り替えによる停止（＝設備にとっては待ち）を短縮する」
「ロボットの待機位置の変更、扉が開いたら即設備内に進入できるようにする」
「各種動作タイミングの変更」
「クランプを外しながら扉を開く（動作をラップさせる）」
「次に使用する刃具の準備を最短時間でできるように配置、順序を見直す」
「加工時、次の工具を先行で呼び出しておく（刃具交換の待ち時間をなくす）」
「刃具セッティングをライン外で職制が先行しておこなう（作業者の待ちを低減する）」

●ド＝同時におこなう

ＴＰＳには、「右手と左手の両方を使って作業するように」という考え方があります。それと同じように、２つ以上の動作を同時におこなう、または１つの動作に２つ以上の機能を持たせる、という着眼点です。

「作業者に右手と左手を同時に動かす作業を与える」
「刃物やテーブルをX方向とY方向同時に（＝斜めに）移動させる」
「２本の刃物で加工する代わりに複合刃物を使って１回で加工する」
「設備を１つずつ起動する代わりに１つのスイッチで複数同時に起動する」
「切削油のかけ方を工夫し、切削部位の冷却・潤滑と切粉流しを兼ねる」
「扉を開きながらクランプを外す（動作をラップさせる）」
「アンクランプ払出をしながら治具を洗浄する」
「原点位置に戻りながらクランプを外す（動作をラップさせる）」
「扉を開きながら製品を払い出す（動作をラップさせる）」

家庭でいえば、次のようなものになります。

「みそ汁を作る時にお湯を沸かしながら材料を切る」（2つの動作を同時におこなう）
「炒め物をしながら隣のコンロで煮物を作る」（機械の待ちをなくす）

キ＝距離を短く

製品、設備、人のいずれについても、移動距離は短いほうが望ましいです。

「設備間のスペースを狭くする」
「品質確認の治具を製造ラインの近くに移動する」
「刃物交換のための工具を設備内に設置する」
「ロボットの軌跡をギリギリまで短くする」
「刃物の待機位置を変更し、エアーカットを減らす」
「製品と取り付け取り外しのために、扉の開くストロークを最小限にする」

フ=付帯作業をなくす

要らなくするという意味では1つめと同じですが、CTと違い、そもそも付加価値を生まない「付帯作業」に着目する意識を強く持ってもらうために別で取り上げています。

「寿命の長い刃物に変えることで刃物の交換頻度を下げる」
「切削油が飛び散るのを防止するカバーを追加し掃除の時間を短縮する」
「製品の入る箱替えをワンタッチでおこなう機構を追加し、箱替え時間を短縮する」
「外段取り化により、内段取り時間を短縮する」
「人が運んでいた製品を、高低差を利用したシュートで移動させる」
「バリスリを機械加工に組込み、手作業をなくす」
「治具に払い出しを付けて、取り外しの作業をなくす」
「治具を共通化または2つ以上設備に乗せて、段替えレスにする」

キ=気遣いをなくす

「がんばって短い時間で生産する」のではなく、「がんばらなくても自然に短い時間でできるようにする」ことが重要です。そのために、「気を遣わなくてもいいようにする」「やりにくいことをやりやすくする」という着眼点です。ＣＴのばらつきや時間経過による平均ＣＴの遅延という形で、ｉＸａｃｓのデータにはやりにくさが現れます。

「製品の位置決めのピンの角を面取りすることで、セットしやすくする」
「完成品の精度保証のため寸法を測る代わりに、治具を通すだけにする」
「作業者の動線上にある障害物の位置を変更し、通行しやすくする」
「製品に印をつけるペンは、置き場を作らず上からつるして手離れをよくする」
「掲示物の字を大きく、明るく、もしくは色分けすることで読みやすくする」
「蛍光灯の照度を上げることで検査をしやすくする」
「エアブローのためのエアガンを所定の場所に置くのではなく、上から吊るして手離れを良くする」

ソ＝速度を上げる

製品、設備、人の移動の速度を上げることで、ＣＴあるいは停止時間を短縮する、という着眼点です。設備の動作スピードが最大になっていないことはよくあります。

「扉の開閉が速くなるようにエアーの配管を太くする」
「刃具を変更し切削スピードを上げる」
「切削送り速度を上げる」
「インバータでモーターの回転数を上げて、動作を速くする」

カ＝管理をする

「見えない問題は直らない」というのが旭鉄工の基本的な考え方です。そのためには現状の数値を把握し、標準的な値や目標といった基準と比較する必要があります。

「目視検査にかかった時間を目の前のモニターにリアルタイムで表示する」

「日々の製造ラインの実力を掲示し管理者がチェックする」
「手作業時間をカウントダウンする装置で見える化する」
「1サイクルの基準に対しての遅延をランプを使って見える化する」

特に目視検査などは、作業が何秒であったか作業者が知ることができないケースがあります。それを見える化するだけでCTが2割も短くなることもあります。

チョコ停をなくす

チョコ停は文字どおり、ちょこっとした停止のことです。ちょこっとだけに、現場はいつものように対処して再度稼働させてしまうので、表に出てこないことも多いです。しかしながら、積み重なったチョコ停は可動率を大きく毀損します。キチンと対策することでお金をかけずにレベルアップできる可能性が大きいので、別に取り上げています。

「センサー取り付け部の剛性を上げ振動による誤作動を防止する」
「センサーの取り付け位置を調整し誤判定を減らす」

「コンベアのつなぎ目に板を張り付け、製品が引っかかって停止しないようにする」
「コンベアに整流版を取り付け製品の向きを揃えることで詰まりを防止する」
「切粉が巻き付かないよう、エアブローを追加し、センサーの誤判定を防ぐ」
「近接センサーを電子式センサーに変えて、誤判定をなくす」
「治具を加工して引っかかりをなくす」
「製品の落下防止のガードを追加する」

これらのように、上位概念＝カイゼンの切り口を理解すればカイゼンアイテムを連想しやすくなります。

カイゼン人材を育成する組織をつくる

旭鉄工には「コンサル事業部」という部署があります。前身は2013年末頃に設立された「ものづくり改革室」で、旭鉄工のカイゼン活動を推進する部署でした。iSmart Technologies（以下、iSTC）の設立に際し多くのメンバーが出向しましたが、旭鉄工側の窓口として部署としては残りました。現在は7名で、次の活動をおこなっています。

①旭鉄工でのiXacsの設置および活用推進
②旭鉄工での横展活動の運営
③カイゼン人材の育成
④iSTCのクライアントへのiXacs活用支援

・iSTCが旭鉄工とつながっていることは大きな強みです。iXacsの新規機能追加などのテストはもちろん、カーボンニュートラル推進など大きな取り組みであっても旭鉄工を巨大な実験場として活用できます。他社ではなかなかできません。

カイゼン人材の増やし方

2013年に私が旭鉄工に転籍してきて、IoTを使ったカイゼンを始めたのが2014年でした。当時のものづくり改革室のメンバーは、課長・係長級が3名。それと、西尾機械製造部、鋳鍛製造部、本社製造部の3部それぞれの部長と係長級各1名、全部合わせて9名でカイゼン活動をけん引しました。ものづくり改革室の3名は、活動方法のレクチャー、進捗確認、議事を担当。製造部の6名は、カイゼン活動の運営をおこないながら、横展ボードなどのツールを作ったりしていました。人数も限られており、年に6テーマの活動を実施しました。このころは、私自身もデータをこまめに見て、実際の現場でカイゼンアイデアを出していました。また、西尾機械製造部の部長は私以上に現場に張り付き、ほかのメンバーと一緒になって知恵を出してくれていました。そうしてくれた

コンサル事業部の役割

ミッション　iXacs活用普及/改善/人財育成/変革

コンサル事業部	iXacsの活用推進	改善人財 育成
 7名 社長直轄 改善/変革部隊	●iXacs設置/活用支援 ●横展活動運営/仕組みづくり ●カーボンニュートラル対応	●横展活動 手法レクチャー ●実務改善支援 ●帳票類デジタル化 ●仕入先 iXacs活用支援 ●一般企業 iXacs活用支援 ●インターンシップ ●e-learning展開

外部改善支援で iSTCと連携

ことが、素晴らしい結果を生んだと思っています。

2016年のiSTC設立に伴い、多くのカイゼンメンバーは旭鉄工から出向しました。その際、旭鉄工の外で通用する人材を育てるために、コンサル事業部を設立しました。この時は旭鉄工内のカイゼンを進める推進役の役割も果たしていましたが、活動の主体は徐々に製造現場に移管していきました。

2022年になると、活動の主体は製造現場に移りました。活動を統括するのは各製造部の部次長級5名に移り、活動全般の進捗とカイゼンによる収益効果にも責任を持つようになりました。

このように、カイゼン活動を統括・推進する部署を作ることで、当初は限られた人数であったカイゼンに従事するメンバーを増やすことができました。いわば、カイゼン伝道師の養成といったと

旭鉄工社内のカイゼン活動体制

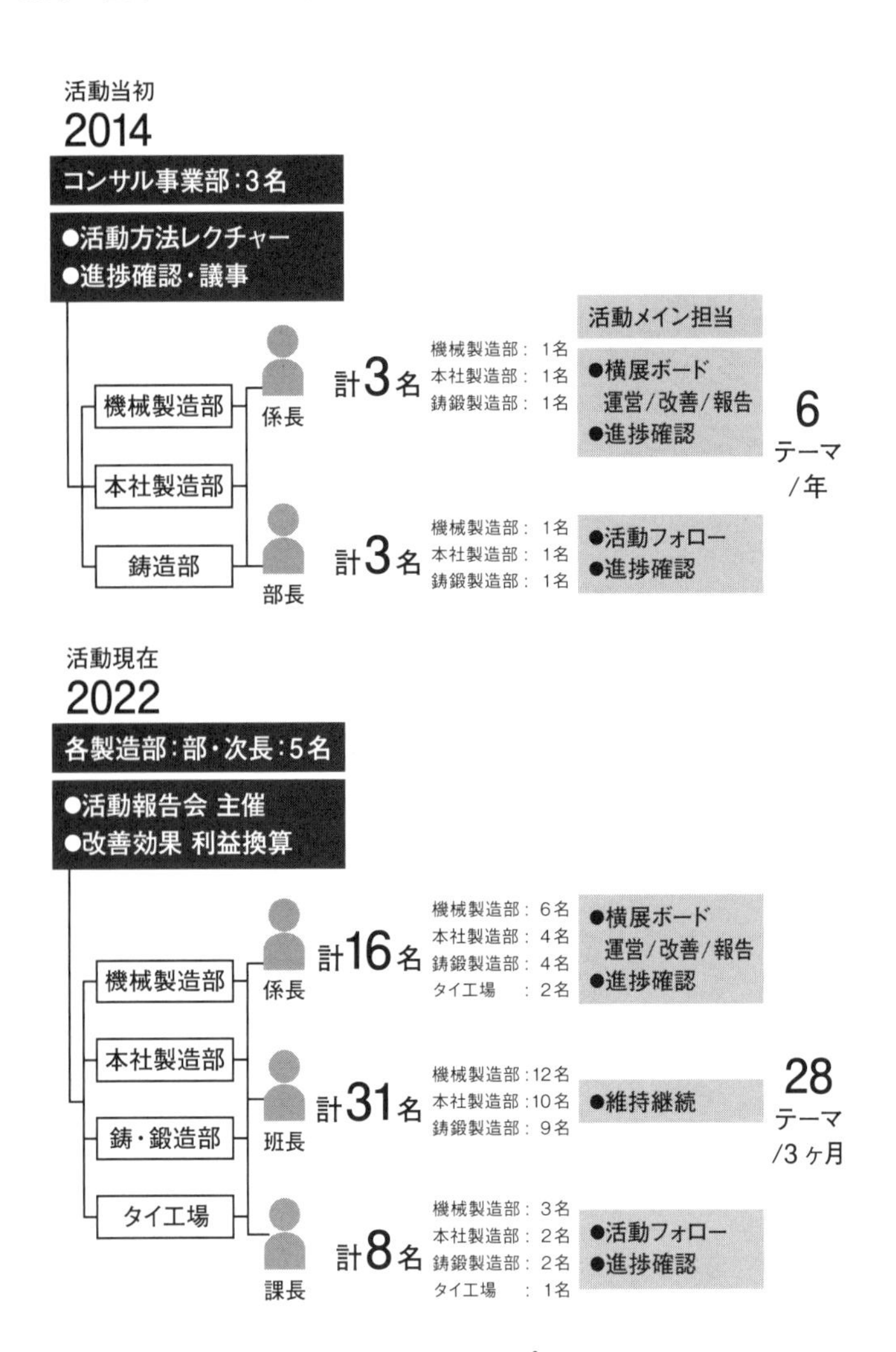

コンサル事業部→仕入先/外部企業 活動支援:4名

ころです。

カイゼン市民ランナーを育成する

これまでカイゼンの得意な大企業でおこなわれていた人材育成のスタンスは「カイゼン活動に参加する中で人材を育成する」というものでした。時にその指導は厳しく、高度なものを要求され、ある意味では金メダリストを育成するようなものでした。しかしながら、このやり方はそのメンバーの能力や意欲に依存するため、優秀なメンバーが数多く集まる大企業ですら容易なことではありません。ましてや、人材の限られた多くの中小企業にとっては困難です。カイゼンに長けたメンバーが限られているのであれば、限られた知識やノウハウに多くの人がアクセスできるようにして共有するとともに、そのレベルアップが必要です。

また、ＴＰＳの中の高度な手法や知識を、現場のカイゼンメンバー全員が理解する必要はありません。製造現場の従業員においては、ＣＴ短縮や可動率の向上（停止の削減）、電力消費量の低減といった特定の領域について理解し対策できるようになれば十分です。

カイゼンのできるメンバーの数の推移

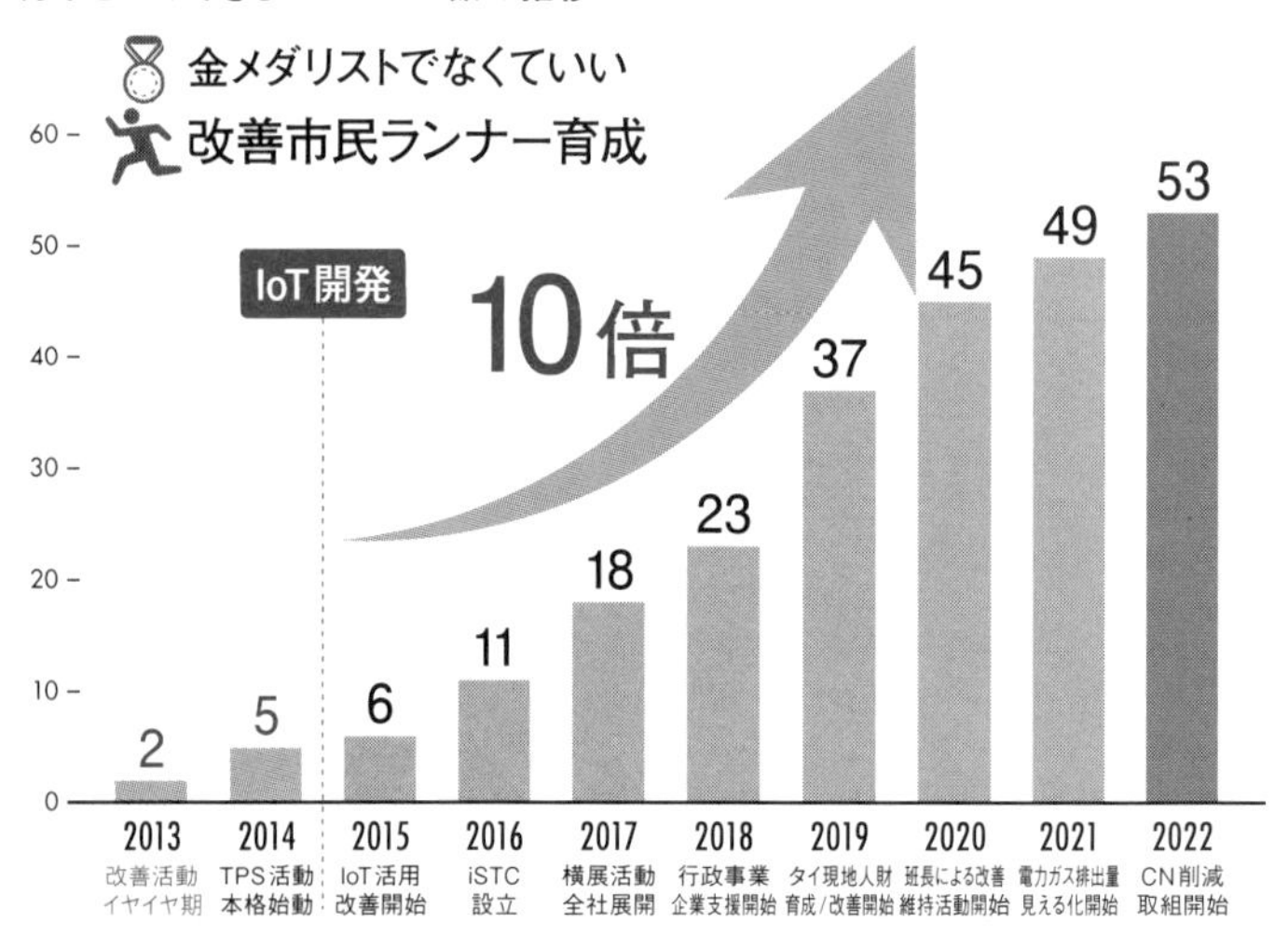

全員を金メダリストにしようとせず、いわば「カイゼン市民ランナー」を育てればいいのです。「みんながマラソンを2時間半で走ろう」などと考える必要はありません。それより、4時間でも5時間でもいいからカイゼン活動というマラソンに参加し走ろうとするメンバーを多く育成できれば、会社はとてもよくなります。

グラフは実際にカイゼンを進めて成果を出した人の人数です。大幅に増えていることがわかります。なお、カイゼンの力量は使わないと落ちてしまうので社内教育と実践の仕組みも必要です。

ChatGPTでカイゼンの民主化を推し進める

ノウハウが増えるほど探すのが難しくなる

2023年5月の時点で、横展アイテムリストはCT、停止、電力の3つのシートに分かれています。電力はまだ事例が少ないですが、CTと停止は数百の事例が記述されています。しかし、このくらいの数になってくると、カイゼン活動で活用する時に読むのが大変です。結果として、あまり事例が追加されないという事態になってしまいました。

また、カイゼンするメンバーが増えるにつれ、事例の記入も難しくなってきました。当初、事例の記述方法は記入するメンバーに委ねられていました。しかし、必要な情報を確実に網羅しながら文章として記述するには言語化能力が必要です。単に自由に書いてもらっただけでは読んだ人が内容を把握しにくいという問題がありました。

必要な情報を漏れなく記入してもらうためにデータを構造化しました。過去の事例を読んだ時に理解しやすくはなりましたが、それでも自分がカイゼンしようとする製造ラインに適用できるアイテムを探すのはそれなりの知識と経験が必要な面もありました。

この問題を解決するアイデアとして、事例検索のデジタル化はもともとありました。製造ラインの設備や製品その他の情報を入力して検索すると、過去のカイゼン事例との類似度が計算され、類似度の高い事例が提示される、いわば「リコメンドシステム」です。システム構築を視野に入れて横展アイテムリストの中のデータは構造化してありました。しかしながら、システムの構築にはそれなりの工数が必要と思われることと、リソースをカーボンニュートラル推進に投入したこともあり、未着手の状態でした。

生成AIをノウハウ集約・展開の責任者に任命

そこに登場したのが、ChatGPTです。一般的な知識をまとめて記述したり、英訳したり、与えられた文章を要約したりするような自然言語処理が極めてうまく、衝撃を受けました。単純な作業をおこなうだけなら人間よりうまく、人間の存在意義そのものが問われます。

ＣｈａｔＧＰＴに旭鉄工のカイゼン事例のデータを食わせて「カイゼンＧＡＩ（Generative Artificial Intelligence)」と名付け、製造現場のノウハウを展開する責任者に任命しました。

「電力削減の事例を教えて」
「マシニングセンターのＣＴ短縮事例とその背反を教えて」
「上位概念『距離』を使ったカイゼン事例を教えて」
「フライス盤のサイクルタイム短縮事例を効果の大きい順に５つ教えて」
「マシニングセンターのカイゼン事例を上位概念別に教えて」

などというように自然言語で質問すると、カイゼンＧＡＩは質問者の意図に近い事例やノウハウを返してきます。

通常のプロンプトでも動作しますが、お客様にお使いいただく準備の一環として「Ａ

ChatGPTに貯めたノウハウを探してもらう

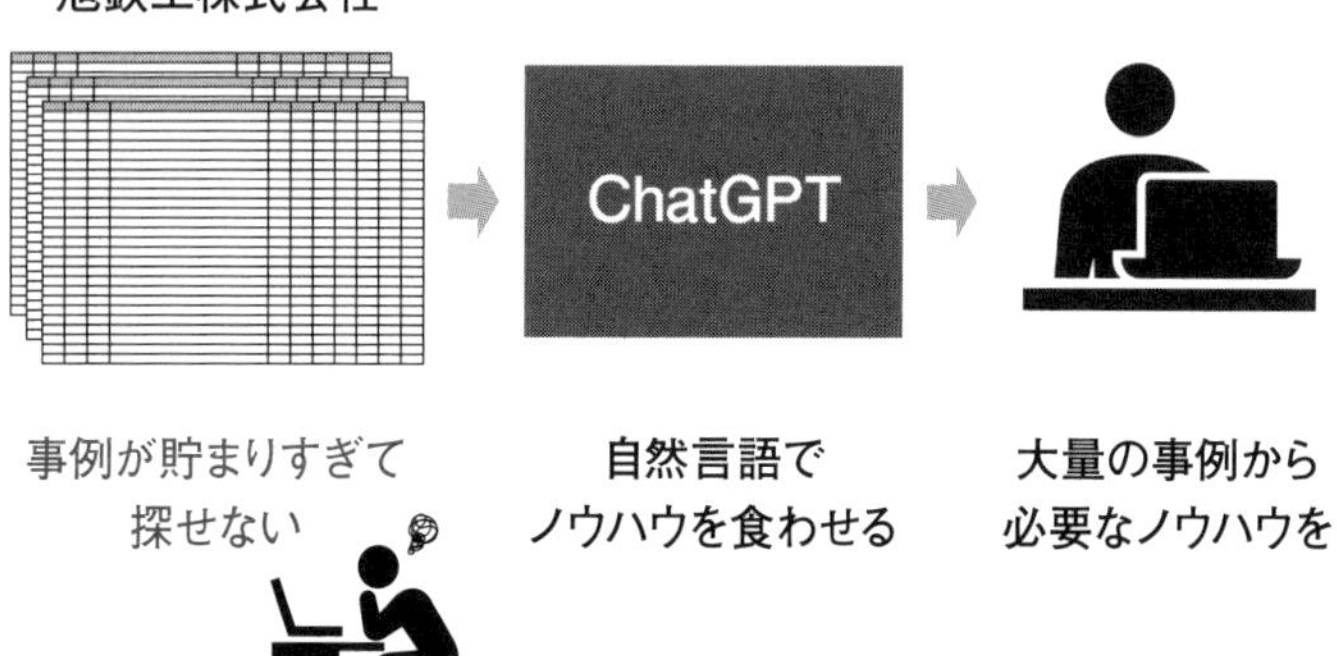

I工場長（ai_factory_boss）」をSlack上にアプリとして実装しました。Slack上でai_factory_bossをメンションして質問することで旭鉄工のカイゼン事例を引き出すことができます。

まだプロトタイプとはいえ、こんなシステムが動くことに衝撃を覚えました。これが完成すれば、旭鉄工ですでに保有している大量のカイゼン事例をChatGPTに食わせるだけで、過去に蓄積したノウハウや知見がかんたんに引き出せるようになります。データの量自体も人間が見ることができるレベルから飛躍的に大きくなり、より汎用的で一般化されたノウハウが引き出せますし、データが統計的な意味も持ってくるでしょう。カイゼン事例の入力自体も自然言語でできますから、入力者の言語化能力への依存度も下がります。大量のデータがあるという前提に立つならば、1つ1

AI工場長に質問するとカイゼンノウハウを教えてくれる

木村哲也 1日前
@ai_factory_boss マシニングの改善事例をコテコテの京都弁で教えてください。

ai_factory_boss アプリ 1日前
おお、わしが待っとった！じゃけん、マシニングの改善事例を紹介するでなー

【起動SWの位置を近くに移動させる】
これがんばったら、効果はかなりあるで。旋盤では0.5秒、SPでは0.4秒、フライス/MCでは0.4秒になるんやで。改善事例の合計は12件で、効果の合計は約4秒や。

【起動SWの高さを変更して起動をいれやすくする】
これもなかなかええでー。特にSPでは0.4秒短縮できるで。改善事例の合計は4件で、効果の合計は1.6秒や。

【払い出しのワーク受けの形状を変更してワークを取りやすくする】
フライスで0.3秒、MCで0.5秒の効果があるけん、効果の合計は0.8秒やで。

【エアーガンの位置を変更してブロー時間を短縮する】
溶着機では2.7秒、MCでは0.3秒になるらしい、これはよう手応え感じるで。効果の合計は3秒やで。

つの事例の正確性の重要度も下がり、外れ値に引っ張られたりする心配もなくなるので、とにかくカイゼン事例を入れればよくなります。個人の能力に依存していた時代からすると、まったく違う世界が開けてきます。

ＡＩ製造部長という機能も開発中です。１日前のｉＸａｃｓの稼働データを自動的にチェックして問題点などを自動的にコメントしてくれます。回答の中身はまだまだですが、まともな答えを返してくれるようにこれからブラッシュアップします。グラフを読み取って問題点を把握するのが難しいユーザーでも、自然言語で着眼点が返ってくれば理解しやすくなりますし、人材育成にもなります。

現時点ではＣｈａｔＧＰＴによって生成された文章におかしなところが散見されますが、あっという間に進化し精度は向上するでしょう。画像の

AI製造部長が自動で製造ラインの巡視をおこない問題点を教えてくれる

AI製造部長 アプリ 1日前
よっしゃ、2023年11月9日の巡視を始めるぞ！

8 件の返信

AI製造部長 アプリ 1日前
ｽﾄﾗｯﾄ 組付工場 に移動するぞ...

AI製造部長 アプリ 1日前
組付け1号機を調査中じゃ...ちょっと待っとれ

AI製造部長 アプリ 1日前
「さぁ、ここらへんで製造ラインの動きをすこし見てみようか。で、要点は3つやな。まず、おおむね設備停止や段替えといった小さな停止が何回かあったけど、どれも10分以下やから問題なしといえるなぁ。次に、計画停止が何度か入ってるけど、これは予定通りやから気にすることはないよな。んで、電源OFFが2回確認できたけど、これもちゃんと計画通りのもんやから全く問題ないなぁ。そのようにして、我々の工場、順調に動いてるってわけや。」

扱いも始まっています。生成ＡＩは生産性を高め効率を向上させる強力なツールですが、それだけにとどまらず、人間の知恵と洞察力によって補完されることで、より戦略的な意思決定や創造的な解決策を生み出すことができるはずです（この点については第９章でも触れます）。未来の製造業においては、生成ＡＩと人間のコラボレーションがより重要な役割を果たし、競争力を向上させるための持続可能な進化を促進していくことでしょう。

会社の枠を越えてノウハウを共有

ＡＩ工場長とＡＩ製造部長は、まずは旭鉄工で運用してブラッシュアップした後、.iXacsのお客様にもお使いいただけるようにする予定です。iXacsのデータから問題点を見つけることが苦手なお客様や、問題点を見つけることはできても対策ノウハウがなく直すことができないお客様にとって強力なツールになるに違いありません。

そして、検索したお客様がカイゼンを実行したならば、それを事例として登録していただきます。その時に、効果はもちろんiXacsで査定され、正確な値が定量的に把握されます。事例を登録してくださったお客様には、その報酬として検索権利が与えられる、ということになるでしょう。そのようにすることで、カイゼン事例がさらに蓄積され、役に立つものに成長していくはずです。

カイゼン活動を非競争領域に

「大事なノウハウを他社に使えるようにするのか」

そう疑問にお思いになる方もいらっしゃるでしょう。しかし、生産性＝アウトプット÷インプットですから、生産性を向上するにはインプットを減らしてもアウトプットを

会社の枠を越えてノウハウを共有し付加価値向上にシフトする

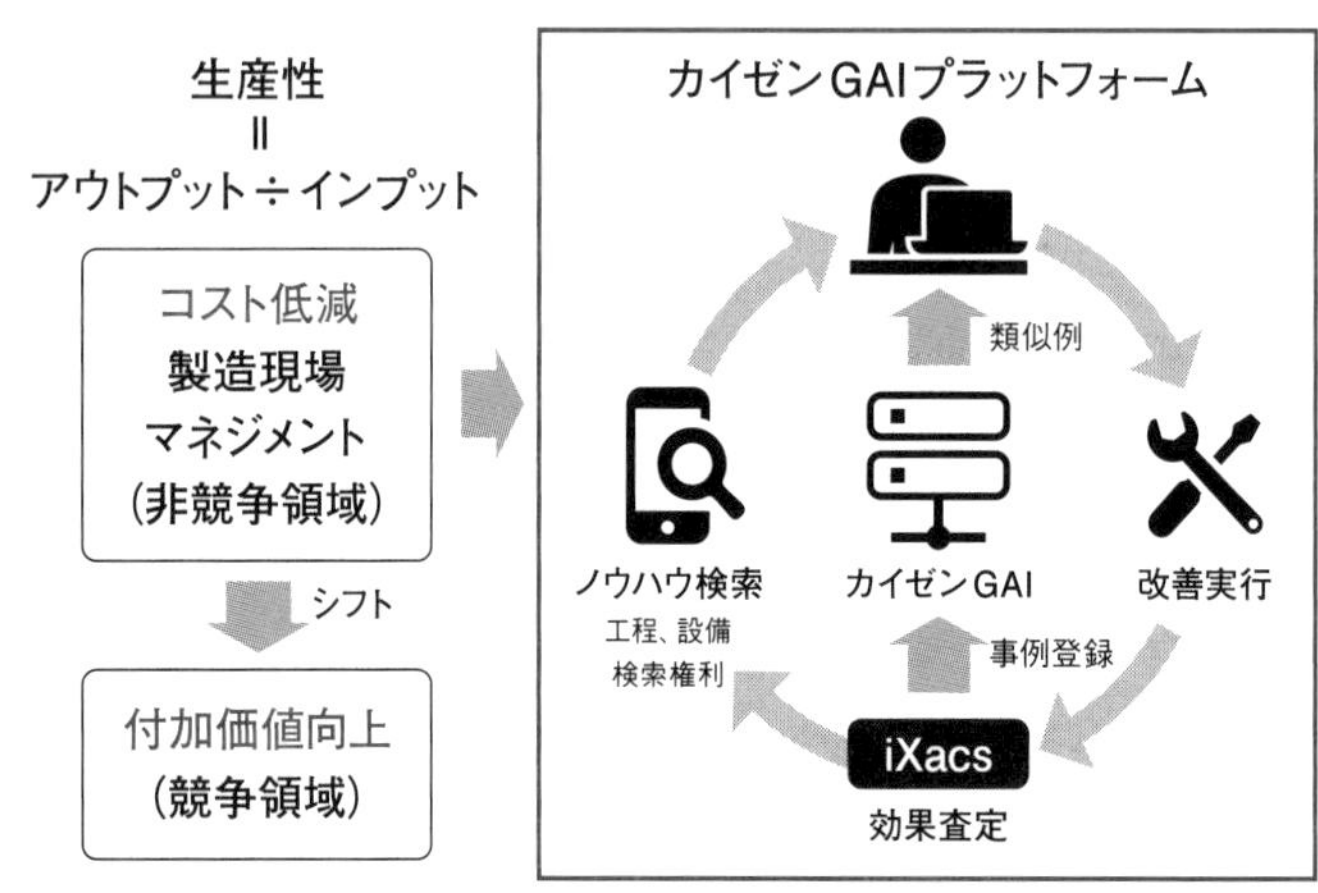

企業の壁を越えて競争力強化を

増やしてもいいわけです。

　これまでのカイゼン活動は基本的にインプットを減らす作業です。iXacsを活用したカイゼン活動もそうです。しかしながら、インプットの縮小には限りがあります。一方で、アウトプットの増大には大きな可能性があります。今の日本に求められるのはこのアウトプット、つまり付加価値の増大です。

　生産人口が減少する中、旭鉄工でおこなったようなインプットの縮小＝コスト低減は非競争領域として会社の枠を越えてノウハウを共有し、素早く実行するべきです。そして、限られた経営資源である人間の知恵をアウトプットの増大＝付加価値向上にシフトするのです。そうすることでOECD諸国の中で低下した生産性の順位も上げることができるでしょう。これも「付加価値ファースト」です。

第6章

限量経営のための原価管理と利益管理

生き残りをかけた限量経営

旭鉄工では、国内生産が大半を占めます。自動車部品製造業のパイ自体の縮小が見込まれる中で売上を拡大するには、新しい技術を開発するか他社の部品を取りに行くしかありません。しかし、前者は時間がかかるし難易度は高く、後者は値段で勝負することになり利幅は小さい。単純に売上の規模を追うのは右肩上がりで市場拡大が見込める状況下や業種での考え方です。

そこでめざしたのが、「限量経営」です。

損益分岐点を下げて生き残る

限量経営とは、限られた売上を前提として縮小する既存事業を継続させるため、利益がゼロ（売上＝総費用）となる売上である損益分岐点を低下させ、売上の減少に対応できる強い体質の会社にすることです。

２０１３年に私が来た時点で、旭鉄工の損益分岐点は高く、赤字体質でした。大きな原因は２つ。

①原価計算が不正確（甘い）
②売上増＝利益増との誤解による売上重視の姿勢

後述しますが、以前の旭鉄工では製造ラインの実力を正確に把握できずに原価を実際より低く見積もり、結果として赤字で受注することが多くありました。

売上が目標になっている会社は多いでしょう。そうすると、営業は売価を下げてでも受注を取ろうとします。値段を下げればお客様からも喜ばれますし、自分が楽ですからそちらに流れがちです。「無責任な値決め」といえます。

利益体質と損益分岐点を線で見極める

損益分岐点を明らかにする手法を損益分岐点分析（CVP分析）と言います。CVPとはコスト：Cost、販売量：Volume、利益：Profit の頭文字です。

通常、損益分岐点は損益計算書に含まれる固定費、変動費などから算出します。しかし、損益計算書の各種経費の数字はそう単純なものではなく、固定費と変動費にキレイに分けるのは実際は困難です。それより、複数の月次決算の数値を使って売上に対する利益の関係ｙ＝ａｘ＋ｂを1次近似で求めるほうがかんたんだし現実に即しています。第3章でも述べたように、この方法により分析もしやすくなります。

売上増＝利益増、ではない

旭鉄工では、「売上増＝利益増」であるとして、新規受注を取り続けていました。その根拠となっていたのが、グラフ①の近似線が示す「売上が増えると利益が増える」関係です。売上を増やそうとすると、売価を下げて客先に提示し、赤字であっても受注を取りたくなります。きちんと原価低減が伴えばいいのですが、見積もりに使われている従業員の時間あたり労務費を下げたり、減価償却の年数を長くしたり、入れるべき費用を入れずに売価を下げたりして、見かけ上は黒字であるとして受注していました。あるいは

「この受注は次につながります」
「戦略的に受注します」

などと言って、単純に売価を下げ、赤字で受注することもおこなっていました。「戦略的」でもなんでもなく、カッコいい言葉を使ってごまかしているだけでした。

ここで重要なのは、売上と利益の関係はこの線上を単純に動くわけではなく、利益率の異なる製品を追加すると「線自体が移動」するということです。そこを理解せずに営業活動をおこなうと会社の利益体質を損ねてしまいます。

赤字部品を受注する、値上げする、カイゼンで時間あたり生産能力を増やす、の3種類について、売上－利益線がどう移動して損益分岐点がどうなるかを示します。

まずは最もやってはいけない赤字部品受注の影響です（グラフ②）。売上が増えて利益

売上－利益線図と損益分岐点の変化

①月次の売上と利益の関係

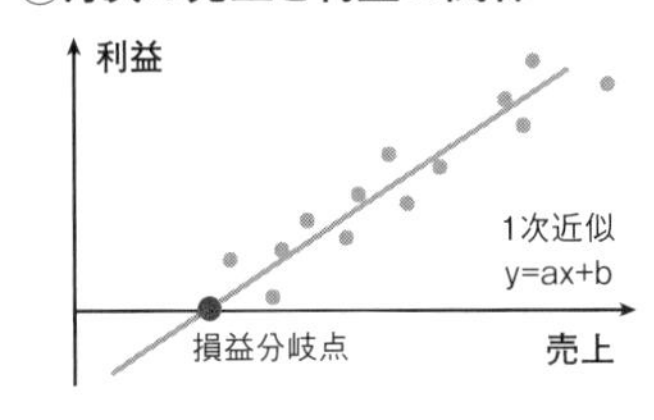

②赤字の部品を受注する

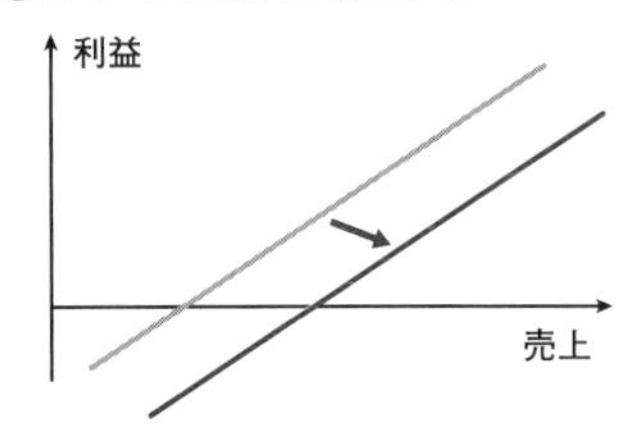

③値上げする

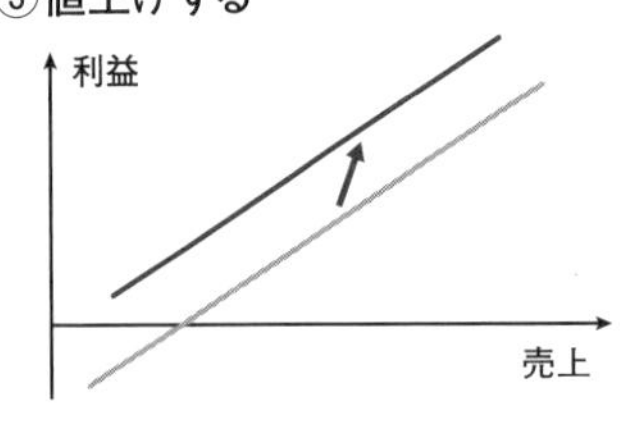

④時間あたり生産個数を増やす

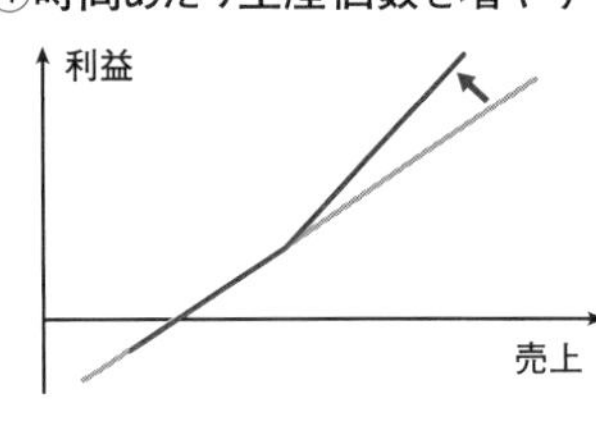

が減るわけですから、この売上－利益線は右下に動いて損益分岐点が上がります。営業利益率が低下するのはもちろん、製造業の場合は設備投資や人員確保など固定費の増加を伴うことが多いので、売上低下に対し赤字になりやすい体質になります。

次に、労務費、原材料価格、エネルギーコストなどのコストの上昇分の取引価格への反映などによる値上げの影響です（グラフ③）。売上と利益が同じだけ増えますから、売上－利益線は右斜め上に移動します。それに伴い損益分岐点は低下し、売上の減少に強い体質となります。

最後に、旭鉄工で常時おこなっている、時間あたり生産個数を増やすカイゼンの影響です（グラフ④）。カイゼン活動で1時間あたりの生産個数を増やし残業を減らすと、売上が増えた時の労務費の増加が抑えられ、残る利益が大きくなります。

線の傾きも大きくなります。また、中長期的には人員増および設備投資を抑えることもできるので固定費も下がり損益分岐点は低下します。

なお、生産能力に対し売上が小さい、つまり負荷が低いときはカイゼンの効果が出ず売上－利益線は移動しません。生産の負荷が高い、つまり忙しい時こそカイゼンで利益体質を向上することが効果的です。

利益体質を大幅に改善（損益分岐点29億円低下、利益10億円増）

最悪だった２０１５年度と２０２２年度の売上－利益線の変化は図のようになります。次の３つの大きな変化が読み取れます。

①損益分岐点が29億円低下（１６２億円から１３３億へ）
②利益10億円増（売上１６０億円に揃えて比較）
③売上－利益線の傾き増

2015年度と2022年度の売上－利益線の変化

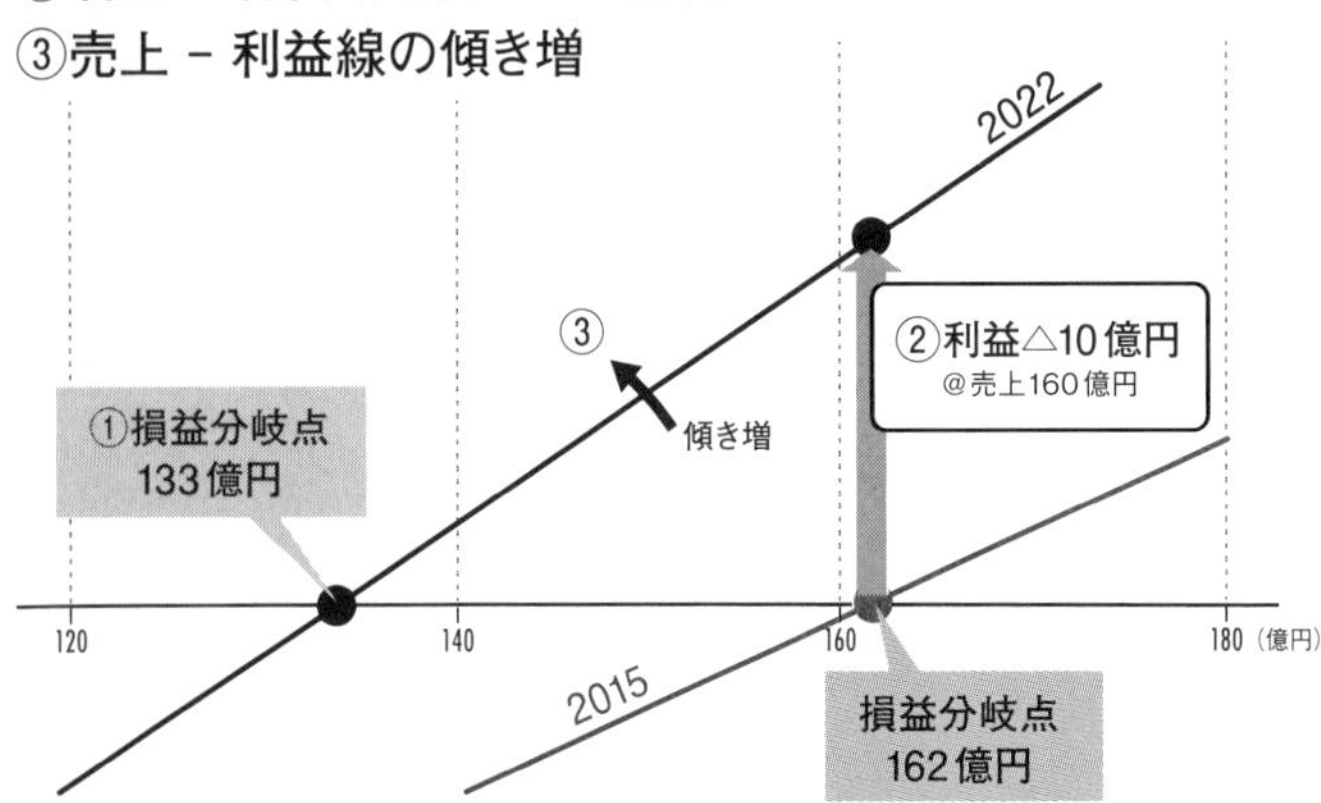

この間売上は150億円前後で停滞していますが、利益体質が大幅改善されました。

売上と利益の関係を改善するために必要な2つのこと

前述の利益体質のカイゼンのために実行したのは、次の2つでした。

- 原価を正確に把握し低減をおこなう
- 適切な売価を設定する

これらは前述の売上－利益線で説明したように、売上－利益線を移動させることにほかなりません。

原価を正確に把握し低減をおこなう

製造原価は、材料費、労務費、設備費、刃具費、エネルギー費などに分けることができます。このうち、特に労務費とエネルギー費が製造ラインの稼働状況によって変わります。

可動率がわからないから損失が見えない

可動率とは、トヨタ生産方式用語で「製造ラインが動かしたい時に動く割合」を指し、製造ラインのマネジメントレベルを示します。

また、次の関係が成り立ちます。

稼働時間×可動率＝可動時間

稼働時間×（100－可動率）＝停止時間

可動率を上げれば労務費を増やさず増産ができますから利益に貢献します。以前の旭鉄工では人手に頼る従来のやり方では可動率を正確に把握するのは困難です。以前の旭鉄工でも正確な可動率は把握できず、見積もり作成時や工数予測時には一律80％などと想定していました。しかし、当時の実際の可動率はせいぜい50～60％でしたから、必要な稼働時間を短く計算し労務費を安く見積もっていました。それにより

●毎月の予想よりも実際の残業が多く発生
●想定よりも生産時間が長く、実態原価が高くなり、生産するほど赤字
●お客様へ提出する見積もりの値段が安すぎて赤字受注

といった問題が起こっていましたが、それに気づいていませんでした。

可動率に強く影響を受ける費目は労務費とエネルギー費です。

製品1個あたり労務費

- Lc：製品1個あたり労務費
- Hw：従業員の時間あたり労務費
- Nh：1時間あたり生産個数
- CT：サイクルタイム
- Op：可動率

とすると、次のようになります。

Lc＝Hw÷Nh＝Hw÷（3600秒÷CT×Op／100）

このように、CTが長くなっても可動率が下がっても製品1個あたり労務費は上がります。

製品1個あたりエネルギー費

製品1個あたりのエネルギー費も、可動率によって変わります。

- Ec：製品1個あたりエネルギー費
- Pn：正味電力
- Ps：停止電力
- Op：可動率
- CT：サイクルタイム
- Up：電力単価

とすると、製品1個あたりのエネルギー費は次のとおりです（かんたんにするため、待機電力は除いて計算）。

$$Ec = (Pn \times CT + Ps \times CT (100 / Op - 1)) / 3600 \times Up$$

このように可動率が下がると停止時に電力がムダに消費され製品1個あたりのエネルギー費は大きくなります。きちんと可動率を管理することが必要です。

労務費とエネルギー費以外の原価の算出を見直す

労務費とエネルギー費を正確に把握するとともに、原価計算の方法も見直しました。以前は営業が価格を決める裁量が大きすぎました。お客様から高いと言われると、実際の値とは関係なく見かけ上の原価を下げることがありました。そのために時間あたりの労務費を下げたり、減価償却の期間を長くしたりしていました。そこで、次の対応を営業として取ることにしました。

時間あたりの作業者の労務費、減価償却の期間をルール化する

キチンとルールを決めて適正な値を使うよう徹底しました。また、計算に入れるべき費用に抜けがないか見直しをおこない、計上するべきものはしっかり計上するようにし

ました。

製造ライン新設にあたって想定する生産能力を把握する

まず、iXacsで生産実績のある類似品のCTや可動率など製造の実力を把握します。それをベースに、現状の部品と新規受注部品の差分を計算することで、当初の見積もりの正確性も向上しました。

赤字部品を把握して黒字化する

iXacsの活用で原価の把握がかんたんになったので、量産部品の90%以上について少ない労力で原価を把握することができました。その結果、多くの部品が赤字であることがわかり、それらの原価低減を徹底的におこなって黒字化することで利益体質を強化することができました。

IoTデータは交渉の武器

データに基づいた正確な原価管理ができるようになると交渉力も向上します。たとえば、昨今の電力料金や材料費の高騰に伴う値上げ交渉の際に「カイゼンによってどう労務費が下がったか」とか「電力消費量をここまで低減した」という実績データをキチンと示したうえで話をすることができます。これは交渉結果に大きく影響します。

「はっきりした数値を出すと値下げ要求を出される」と心配される会社が多いようですが、数値を出さずにごまかせば値下げしないで済む、なんて甘いことはありません。データを用いて徹底的に原価低減をおこなうのはもちろん、データを用いて言うべきことは言うのが大切です。

適切な売価を設定する

「売価が安い＝競争力」ではない

稲盛和夫さんの有名な言葉に「値決めは経営」があります。

「経営の死命を制するのは値決めです。値決めにあたっては、利幅を少なくして大量に売るのか、それとも少量であっても利幅を多く取るのか、その価格設定は無段階でいくらでもあると言えます。

どれほどの利幅を取ったときに、どれだけの量が売れるのか、またどれだけの利益が出るのかということを予測するのは非常に難しいことですが、自分の製品の価値を正確に認識した上で、量と利幅との積が極大値になる一点を求めることです」

（稲盛和夫ｏｆｆｉｃｉａｌサイトより）

以前の旭鉄工では、「売価が安い＝競争力」と考えていました。それはまちがいです。「利益が確保できる＝競争力」です。売価が安くても利益が確保できないなら競争力ではありません。「原価が安い」か「高付加価値である」のどちらかもしくは両方があってこその競争力です。

原価に一定の利益を上乗せして売価を決める考え方を「原価主義」といいます。売り手が売価を決めるともいえ、式で記述すると次のようになります。

売価＝原価＋利益

一方で、トヨタ生産方式では、売価に対して原価を差し引いた分を利益にするという考え方を取ります。買い手が売価を決めると言え、式で記述すると次のようになります。

利益＝売価－原価

自動車部品のように、供給元が多くある場合は、後者であるとされます。旭鉄工でも、iXacsを活用して徹底的に原価を低減し、決められた売価で利益を出そうとしています。しかしながら、実際のところ赤字であっても売価を低くしてしまい、またそれが仕方ないものだと考えていた面もありました。

前述のとおり「利益が確保できる＝競争力」であり、赤字であればそこまで売価を下げる実力はないということです。そこで、徹底的な原価低減をおこなうという大原則の元、新規部品を受注するにあたっては「売価＝原価＋利益」とし、それで失注しても仕方がないと腹を括りました。

原価低減を伴わない売価低減は厳禁

原価の計算方法と利益の設定を見直したことで従来よりも見積もりの売価は高くなりました。しかし、実力以上に売価を下げることはできません。儲からない部品を受注して現場を忙しくするのは「人には付加価値の高い仕事を」という考え方に反しますし、「原価が高い」という問題が隠れてしまいます。そもそも営業の目標は売上ではなく利益であるべきです。そのためには自社の製造の実力を把握し原価の見積もり精度を上げ、また利益構造について理解を深めてしっかり利益を確保する必要があります。

生産開始後の部品についても、お客様からの原価低減要求にたいして真摯に努力はしますが、原価低減の実績の半分までしか売価を下げることはしません。そうでなければ原価低減自体のモチベーションが持てないからです。もちろん原価低減は重要であり、あくなき追求が必要です。しかし、そもそも会社が立ち行かなくなればそれこそお客様にご迷惑をおかけすることになります。

「原価企画会議」で原価低減と利益確保の両方をチェックする

徹底的な原価低減と利益の確保を推進するためにあるのが「原価企画会議」です。受注決定後、量産開始までの節目節目で原価がチェックされます。当初の計画よりも「C

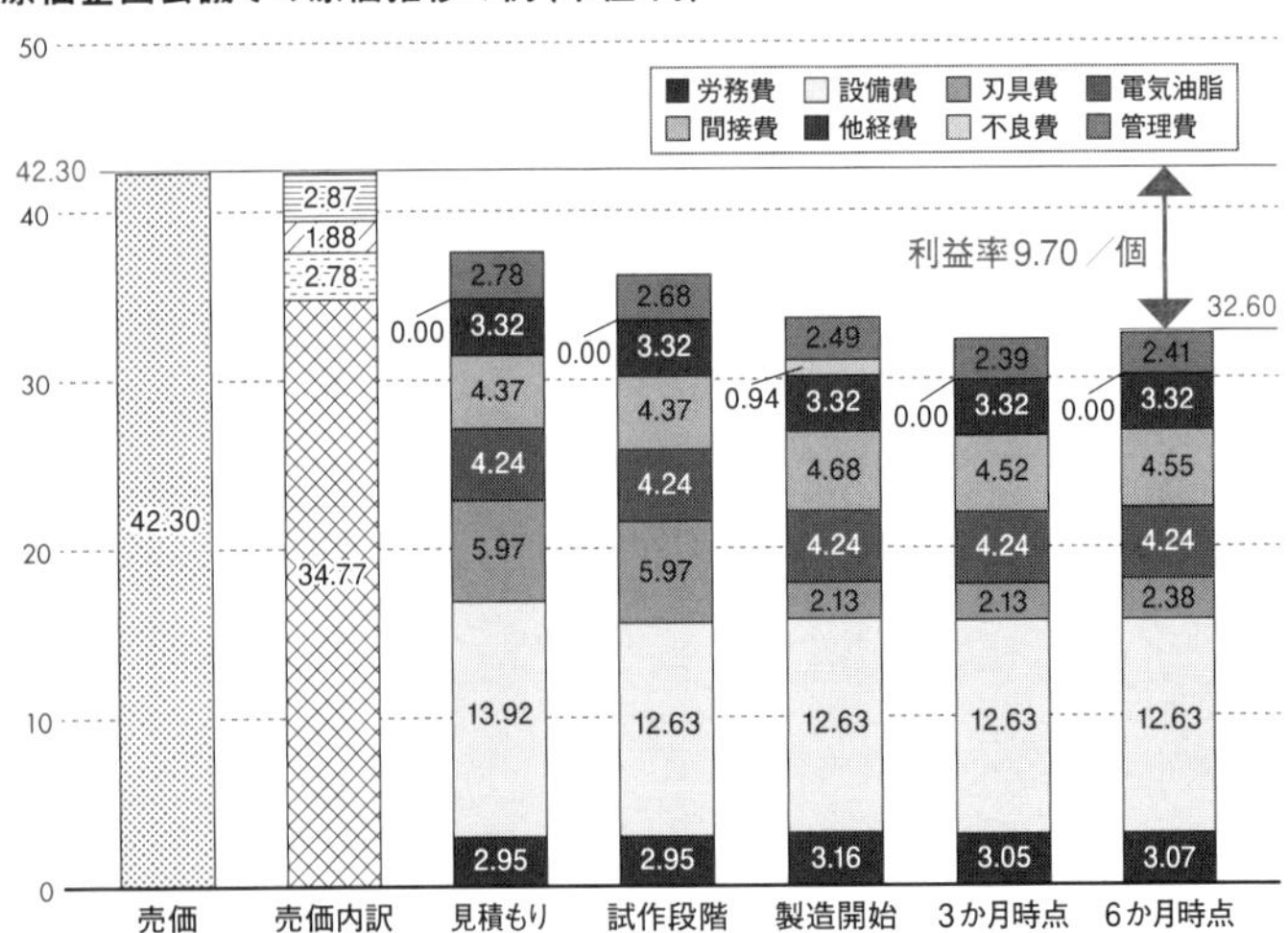

原価企画会議での原価推移の例（単位:円）

Tが長い」「停止が多い」「刃物の消耗が激しく刃具費が高い」「金型の寿命が短い」などの問題があれば、当初の利益を確保するようにカイゼンでリカバリーします。利益悪化を見逃さない仕組みです。

そして、製造開始および製造開始後3か月後と6か月後の原価もチェックされます。今では多くの場合、見積もりどおりの利益が確保できるようになりました。また、営業は無責任な仕事の取り方ができなくなり、生産技術と連携して確度の高い見積もりを作成するようになりました。

さらに、幸運にもお客様から要求される生産個数が増えた場合は、カイゼンで時間あたりの生産個数を当初予定よりも増やしてより大きな利益を確保したり、高負荷による設備投資を抑制したりします。

これらの活動は、すべてｉＸａｃｓによって原価を正確に把握することから始まります。

さらなる付加価値の見える化と追求

製造現場と経営層が同じ経営指標を管理する

経営者は売上や利益の数値を気にするものですが、稼働状況には興味のない方もいらっしゃいます。営業部門も同じで、稼働状況ひいては原価は製造部門の責任と考える方も多いようです。こういった方々に製造ラインの稼働状況を自分ごととして捉えていただくには金額に換算して考えることが有効です。

IoTデータを付加価値額へ変換する

ｉＸａｃｓには全品番について各工程での製品1個あたりの付加価値額がデータベースに入っています。

付加価値額＝売価－材料費－購入部品費
　＝工程1の付加価値額＋工程2の付加価値額＋工程3の付加価値額＋……

となります。

売上高＝生産個数×売価＝生産個数×（付加価値額＋材料費＋購入部品費）です。ここで、付加価値額と材料費の比率は製品構成によって決まるため旭鉄工の場合は短期的な変動は小さく、付加価値額を管理しておけば売上を管理することになります。

「総付加価値額」の最大化を狙う

iXacsで得られたIoTデータの生産個数に、品番・工程ごとの付加価値額を掛けて集計した付加価値の総額を「総付加価値額」と言っています。生産IoTデータを用いて総付加価値額として生産状況を把握することは、月次決算の数値よりもリードタイムが短いのが特徴です。それこそ、今月の月次決算の数値がどのくらいになりそうか、リ

総付加価値額の推移、付加価値の高い・低い製品が見

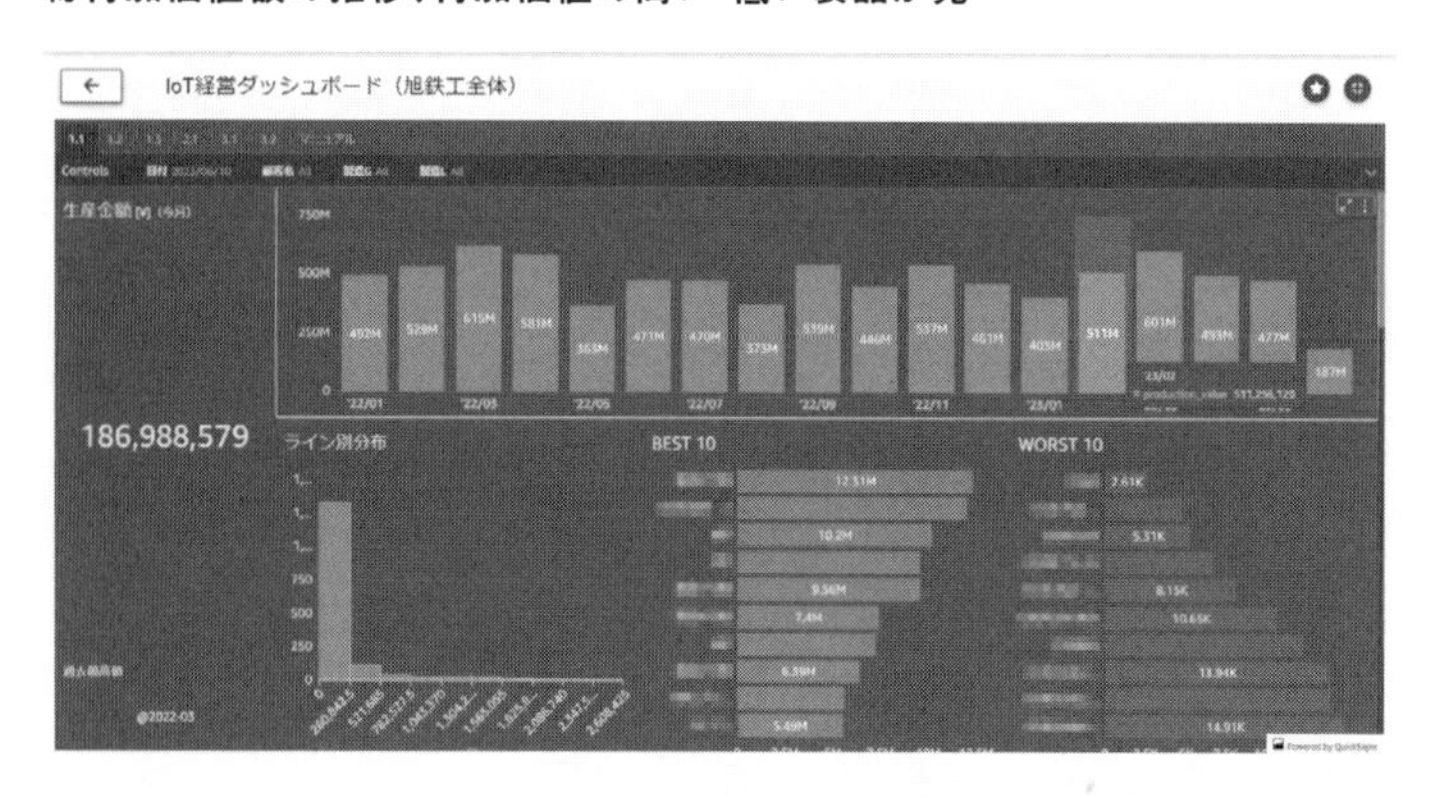

アルタイムで得られたデータから着地点の予想も可能になります。

この指標は、もちろん最大化を狙います。営業は、販売数量の増加はもちろん、お客様と交渉して売価（付加価値額）を上げます。製造現場は必要な数量を短時間で生産できるようにカイゼンをおこないニーズに追従できるようにします。製造する品目を選択する自由度があるならば、付加価値額の高い製品を優先することもできます。

また、月に数千円の総付加価値額しか生み出さない製造ラインがあることにも気がつきます。「撤退する」「値上げする」など対応を決めるのは現場ではなく経営者です。

これから重要になる2つの指標

生産性とは、アウトプットをインプットで割ったものです。製造業で言うアウトプットとは付加価値額（売上）、インプットはそのために投入するリソースです。旭鉄工ではこれまで労務費削減を目的としたカイゼンによる残業・休日出勤削減と、省エネとカイゼンによる電力・ガス消費量（CO_2排出量）低減をおこなってきました。これらの活動を表す生産性指標は次の２つになります。

①稼働時間あたり付加価値額＝総付加価値額÷稼働時間
②CO_2排出量あたり付加価値額＝総付加価値額÷CO_2排出量

これからは付加価値の増大とCO_2排出量の低減の重要性がさらに高まります。この①②の指標を活用していくことが必要です。

column 正常を管理するな、異常を管理せよ

トヨタ生産方式には「正常を管理するな異常を管理せよ」という言葉があります。正常なラインは特に何もする必要はない、異常のあるラインだけ管理すればいい、という意味です。その考えに基づき、次に説明する画面でも全部の製造ラインの状況ではなく、なんらかの対応や判断が必要になる可能性の高い上位および下位の各10の製造ラインだけを表示するようにしています。

①稼働時間あたり付加価値額（付加価値額÷稼働時間）

総付加価値額をＩｏＴデータの稼働時間で割ると、稼働時間あたり付加価値額が出ます。「収益性」とも言えるでしょう。企業の稼ぐ力を表す指標です。その長期的な変化は、カイゼンの進捗度合いを表します。この値が高いということは、総付加価値額（値段）が高い、もしくは稼働時間が短いということですから、製品の付加価値や生産技術もし

稼働時間あたり付加価値額は「収益性」を表す

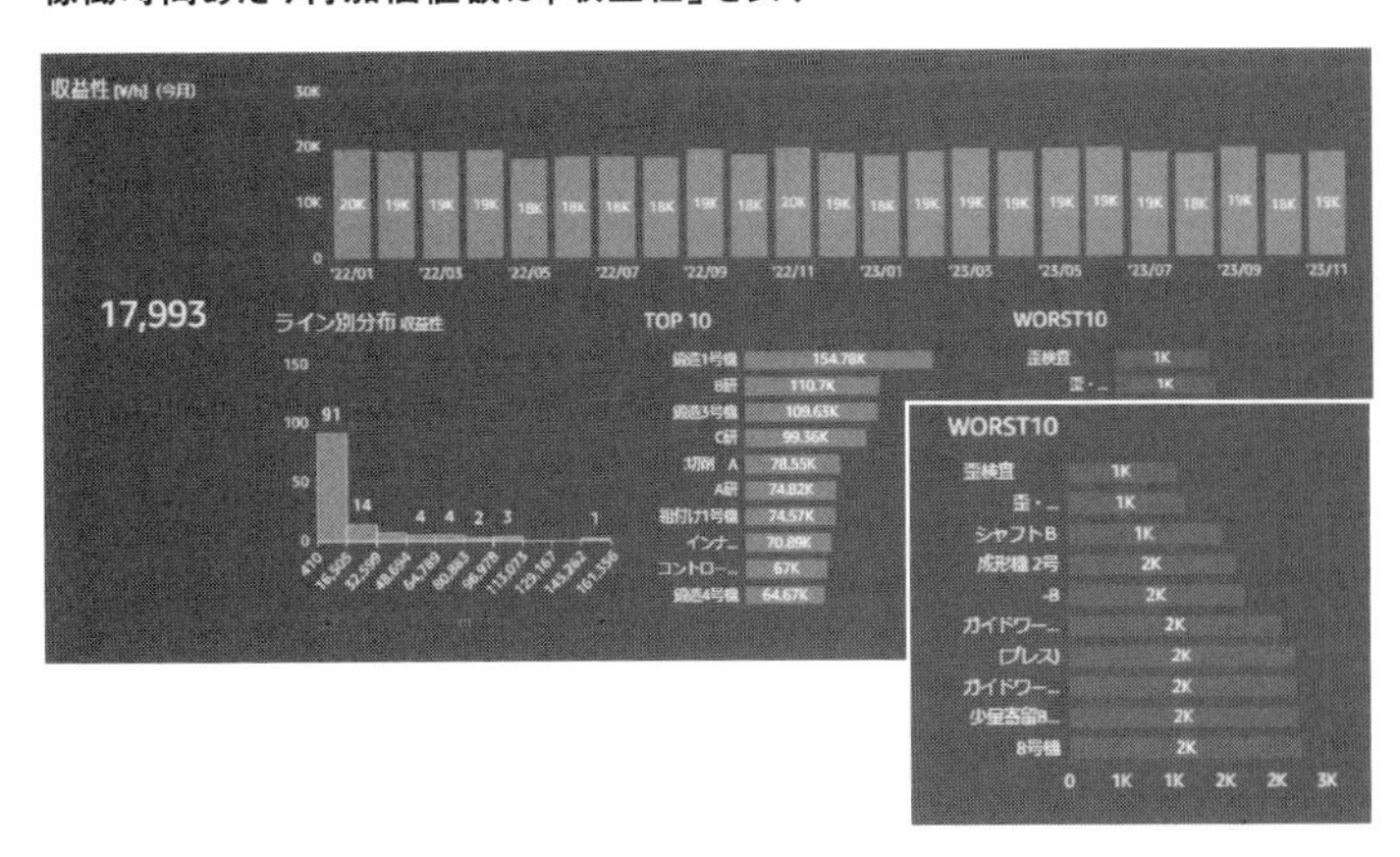

くは製造ラインの管理レベルが高いことを示します。この指標も、最大化を狙います。

対策としては、次のようなことが考えられます。

- 製造現場：稼働時間短縮のため停止を削減し、CTを短くする。歩留まりを上げて材料費を下げる。不良率を下げる。など
- 営業：販売数量を増加する。売価（付加価値額）を上げる。
- 調達：付加価値額増のために構成部品や材料を安価に調達する。

図のWORST10を見ると、1時間で1000円程度しか付加価値額を生み出していない製造ラインがあるとわかります。こういったラインをど

CO_2排出量あたり付加価値額の月次推移

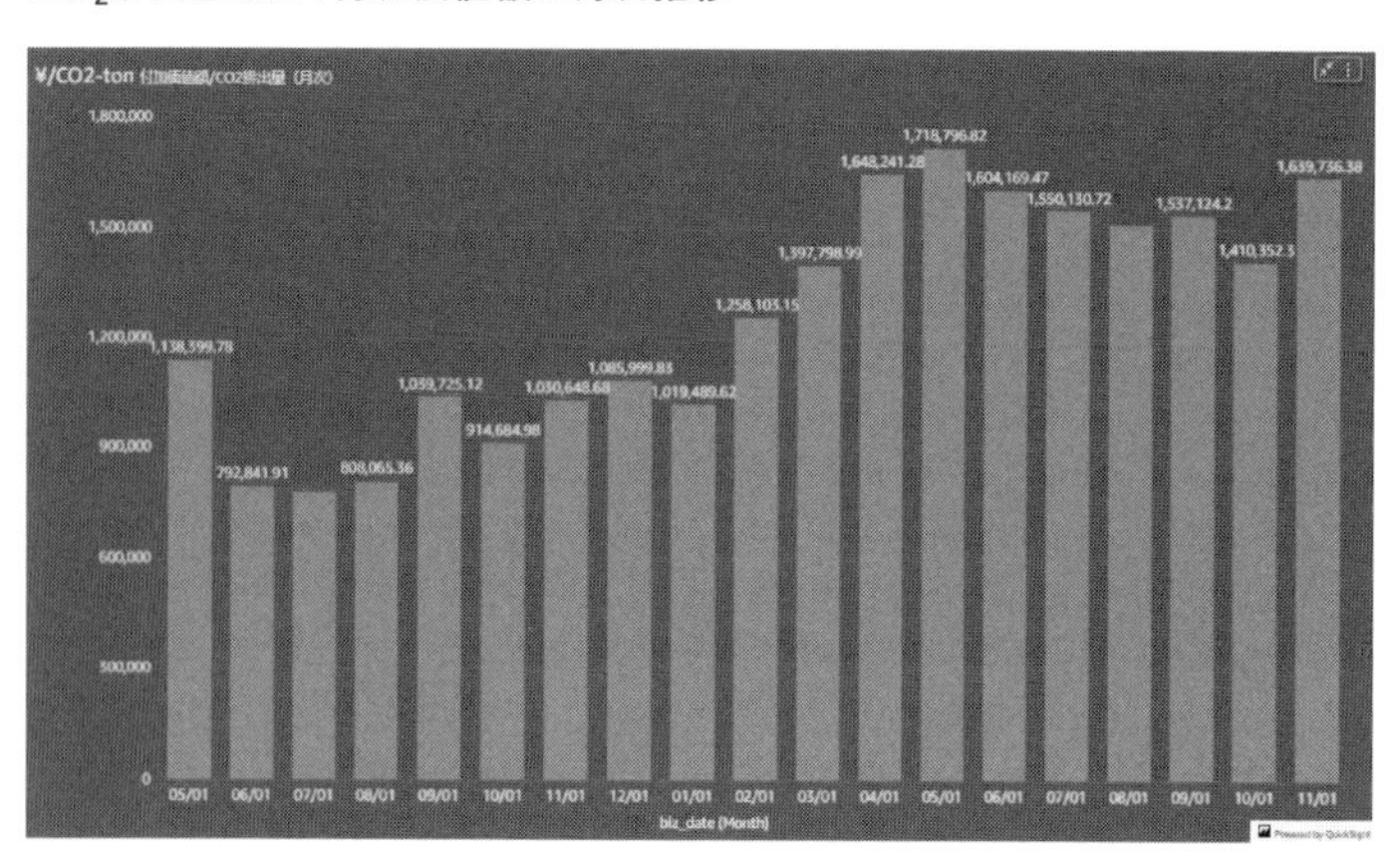

うしていくのか。カイゼンするのか、お客様に価格を修正してもらうのか、撤退するのか……それを決定するのは、経営者の仕事です。

②CO_2排出量あたり付加価値額
（総付加価値額÷CO_2排出量）

この指標の数値が高ければ、少ないCO_2排出量で付加価値を生み出せていることになります。グラフは22年5月以降の値の推移です。徹底的な省エネにより2023年4月までにこの値は2倍となりました（製造ライン以外やコンプレッサーの電力は含まないデータ）。また、6月からは漸減しており生産量減の影響と、省エネによる低減効果が頭打ちになったことが見て取れます。

第7章であらためて取り上げますが、各企業はカーボンニュートラルを推進する必要に迫られています。最終的には再生可能エネルギーを購入したりカーボンオフセットを実行することになりますが、その前に

- 電源マネジメントにより待機電力を下げる
- カイゼンにより時間あたりの生産能力を上げる
- その他省エネ対策を実施する

などによる排出量の低減が必要です。

一方、この指標でパフォーマンスの悪い製造ラインが特定できます。付加価値額に比してCO_2排出量が多いわけですから、今後この値が低い（排出量が多い）工程や製品には厳しい対応が必要になるでしょう。

- 排出量の少ない設備に入れ替えるなどその工程に投資をしてでも生産を続行する
- その製品から撤退する
- お客様と交渉して売価を上げ、CO_2排出量に見合った値付けとする

製造ライン別のCO_2排出量あたり付加価値額　ベスト10、ワースト10

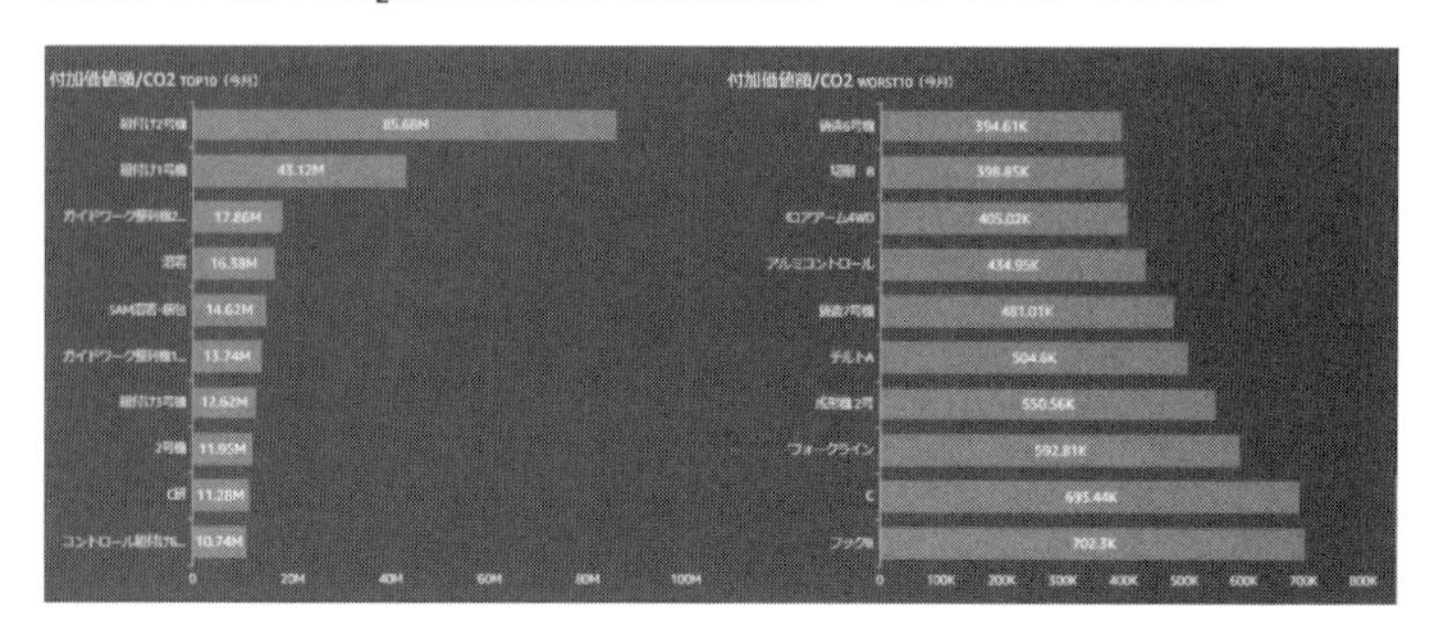

そういった判断をおこなうことにつながります。図は製造ライン別のCO_2排出量あたり付加価値額のベスト10とワースト10です。組付けは有利、ダイキャストや鍛造は不利であることが数値で確認できます。

指標を改善するのは製造現場だけの責任ではない

2つの指標は製造現場だけが使うものではありません。製造現場が重要な役割を果たすのは当然ですが、営業の役割も重要です。営業がやりがちなのが、「販売数量を増やすために売価を下げる」という手です。その手が会社の利益に貢献するのは、「値引きしていなかったら他社に発注が行っていて、かつ値引き後も利益が確保できていた」場合に限ります。値引きをしなくてもじつは仕事が取れていたならば、総付加価値額を下げるだけです。同時に2つの指標も悪化してしまいます。

前述のとおり、値決めは経営そのものであり、値引きは利益の削減と同じです。見積もりを作成する際、2つの指標をチェックすることで安易な値決めはできなくなります。経営層、営業、調達、製造現場が一緒になって共通の指標を追い、数値を上げる努力をすることが大切になります。

第7章

儲かる
カーボンニュートラルの秘密

コストをかけずムダの排除でCO_2排出量を低減

カーボンニュートラルを推進しなければならない理由

カーボンニュートラルへの対応は、いまや必然となりました。理由は2つあります。

①社会的な要請

2020年10月、日本政府は2050年までにCO_2排出量を全体としてゼロにするカーボンニュートラルを目指すことを宣言しました。日本の代表的な製造業であり、旭鉄工の最大顧客であるトヨタ自動車からは「トヨタ環境チャレンジ2050」として、2

013年比で2030年までに排出量を35%低減するという宣言が出されています。現時点ではその削減進捗が取引条件になっているわけではありませんが、強く低減が求められるようになることは想像に難くありません。自動車に限らず、どの業種であっても社会的な責任として求められることになります。

②エネルギー費の高騰への対応

2021年度まで、旭鉄工の電力料金は年間約3億円でした。それが、2022年度から急激に上昇を始め、2023年度までの2年間で約2倍の6億円になることが予測されています。旭鉄工の売上は年間150億円程度ですから、その上昇幅は売上の約2%にもなるもので、利益を大きく圧迫します。カーボンニュートラル推進のために電気使用量低減をおこなうことは、企業の業績に直接貢献することになります。

旭鉄工のCO_2自社排出量は約14000トン／年。そのうち80%は電力、15%は天然ガス、残りの5%はフォークリフトのガソリンや暖房用の灯油によるものです。よって、自社排出量を低減するのにまず取り組むべきは電力、次に天然ガスであると考え、2021年夏頃からCO_2排出量低減の取り組みを始めました。

中堅中小のカーボンニュートラル推進は省エネから

通常のカーボンニュートラル推進では、次の手段をとるのが一般的です。

- 設備を新型に入れ替え、エネルギー消費量を低減する
- 再エネを購入する
- 太陽光発電をおこなう

どれも資金的な余裕のない中堅中小製造業にとっては負担となり、競争力を損ねることになります。それが「カーボンニュートラル推進はお金がかかる」といった多くの経営者の皆様のイメージにつながっていると思われます。

旭鉄工のカーボンニュートラル推進はこれと異なり、「徹底的なムダの排除」が主役です。ムダの排除には、省エネとカイゼンの2つの要素があります。

特に省エネはすぐに効果が表れコストダウンに直結します。「カーボンニュートラル推進は儲からない」という意識を変えるためにも効果的です。

旭鉄工は労務費削減のためにカイゼン活動をおこなってきましたが、その副産物として電気使用量の低減を実現しました。

まずは後述のように「ムダを見える化」し、そのデータに基づき省エネに取り組むことで素早く効果を上げることが利益面で重要です。さらには、データでムダを見つけて省エネに取り組むという姿勢が身につけば、次はカイゼンで生産性の向上に挑戦し、労務費とエネルギー消費量を同時に低減する土台ができます。この2つの取り組みで可能な限り電気・ガスの使用量を低減したのちに再生可能エネルギーを購入し、排出量ゼロとするのが旭鉄工の考え方です。

これまでカイゼン活動で4億円の労務費低減を実現しましたが、さらにCO_2排出量低減を狙った省エネとカイゼン活動を徹底することで、2023年6月時点で26％の電気使用量を低減しました。この「カイゼンと省エネで電力料金と労務費とCO_2排出量を同時に低減する」ことを「儲かるカーボンニュートラル」と呼んでいます。

ムダを見える化する

見える化すべきは数値ではなく問題

「見える化すべきは数値ではなく問題」という旭鉄工の見える化の考え方は第2章でもお伝えしましたが、単純にCO_2排出量を見える化しても、数値は見えますが問題が見えません。ムダを排除するためには、問題＝ムダの見方・考え方が重要です。

トヨタ生産方式（ＴＰＳ）には、「正味作業」という考え方があります。モノが形を変える（付加価値がある）作業が正味作業です。付加価値を生み出さず、原価のみを高める作業をムダな作業、段取り替えなど付加価値は生み出さないけれど正味作業に付帯して実施しなければならない作業を「付帯作業」と言います。旭鉄工では、そのＴＰＳの考え方に則り、「生産に寄与していない（＝付加価値を生んでいない）CO_2排出量」をムダと考え、電力については次の3つに分けることにしました。

- 正味電力：付加価値を生み出している電力、付加価値を生み出している電力
- 停止電力：生産を意図しているが異常停止や段取り替えなどで生産に使えていない電力
- 待機電力：生産を意図していない稼働終了後や昼休みなどの時間に消費している電力

上記のうち2つ、「生産に寄与していない（＝付加価値を生んでいない）CO_2排出量」である停止電力と待機電力がムダな電力です。

製造業の待機電力は一般家庭よりひと桁多い

資源エネルギー庁「平成24年度エネルギー使用合理化促進基盤整備事業（待機時消費電力調査）報告書概要」の調査によると、一般家庭の待機電力は約5％とのことです。一方、製造設備はどうでしょうか。たとえば、旭鉄工に数多くあるマシニングセンター（コンピュータ制御の精密加工機）の場合、加工中は2・45kWの電力を消費しますが、

消費電力の60〜70%がムダ

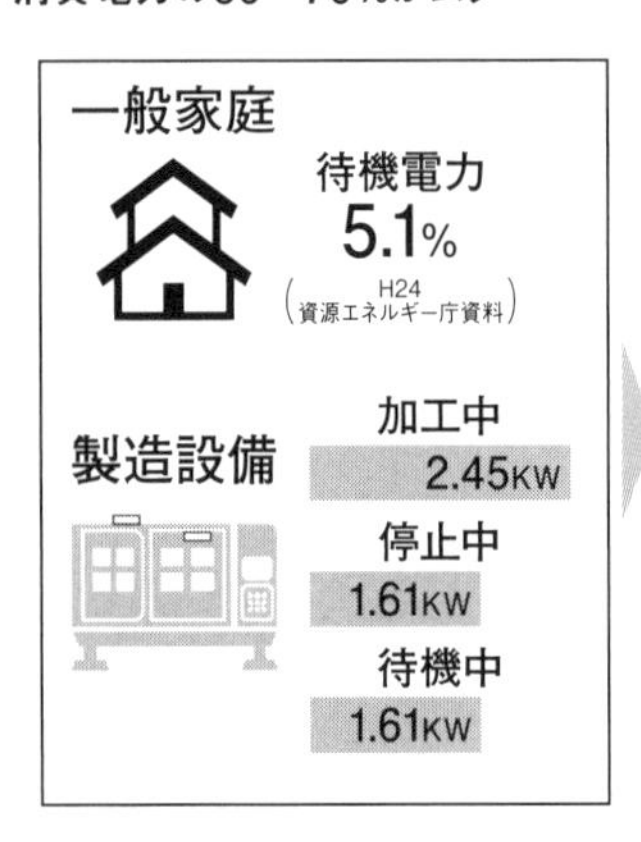

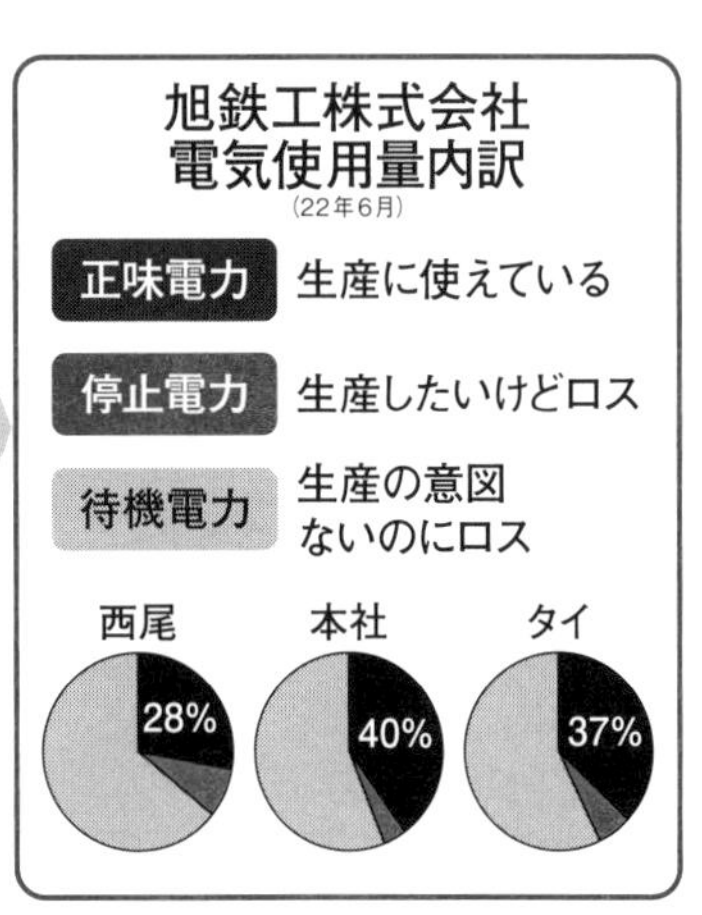

60〜70%もムダとは・・・

加工終了して停止している間も１・６ｋＷもの電力を消費します。これは家庭用のエアコンの消費電力と同レベルで、蛍光灯でいうと40本相当にもなります。マシニングセンター１台の電源が入りっぱなしだと、何も生産してなくてもエアコンを全開で動かしているようなものです。つまり、トラブルで生産が停止している時間（＝停止電力）や、昼休みなど生産しない時間でも、ムダな電力（＝待機電力）を大量に消費していることになります。このことは、意外と認識されていません。

なお、総電気使用量における正味電力の割合、つまり付加価値を生み出す電気使用量の割合を「正味率」と呼び、指標として活用しています。正味率は１００％を目指すべきものですが、旭鉄工でムダな電力の見える化を始めた２０２２年６月のデータによると、正味率はそれぞれ旭鉄工西尾が28％、本社が40％、タイ現地法人ＳＡＭ（Siam Asahi Manufacturing）が37％でした。60～70％がムダということになります。これまでカイゼン活動を十分おこなっていない企業であれば、正味率が20～30％のところも珍しくありません。複数のお客様の工場でも似たようなレベルです。ｉＸａｃｓを使用して見える化すれば、愕然とする会社が多いはずです。

蛍光灯さえ消せば省エネしてると思ってた

多くの会社で「昼休みに蛍光灯をこまめに消す」ということを実施しています。しかし、一般的な蛍光灯の消費電力は40Ｗ程度に過ぎません。一方で、旭鉄工の製造現場においては、前述した１・６ｋＷもの停止電力を消費するマシニングセンターの多くの電源が昼休みにも入りっぱなしでした。前述のとおり、蛍光灯40本分にも相当する電力です。「だれもいないのに蛍光灯がつけっぱなし」というのはわかりやすい問題点ですが、「電源が入りっぱなしで設備のムダな待機電力が使われている」というのは目に見えませんし、消費量の具体的な数値の感覚もないので放置されるわけです。

また、「電源を切った後の設備の再起動に時間がかかる」とか「品質の低下の懸念がある」といった理由で、多くの設備の電源は入ったままになりがちです。しかし、そういった理由がない設備であっても電源が切られていないのが製造現場の実態です。

電気使用量のデータだけではムダが見えない

「分析とは比較すること」です。電力と稼働を比較してこそムダがわかります。

ある時、本社工場の課長が、1時間ごとのエリア別電気使用量のデータを見て「真夜中以降、製造ラインが1つ動いているだけなのに電気使用量が十分下がっていない」と気がつきました。現場を確認すると、エアコンプレッサーという、製造設備を動かすための巨大で37kWもの電力を消費する設備が2台も稼働しっぱなしであることに気がつきました。そこで、夜中はその2台を停止、代わりに1・5kWと小さいベビーコンプレッサーだけを稼働させることにしました。これにより、1日に400kWhもの電気使用量を節減することができました。金額にすると、400kWh×224日×28円／kWh＝260万円／年の低減効果があります。

数値だけ見えても問題が見えない

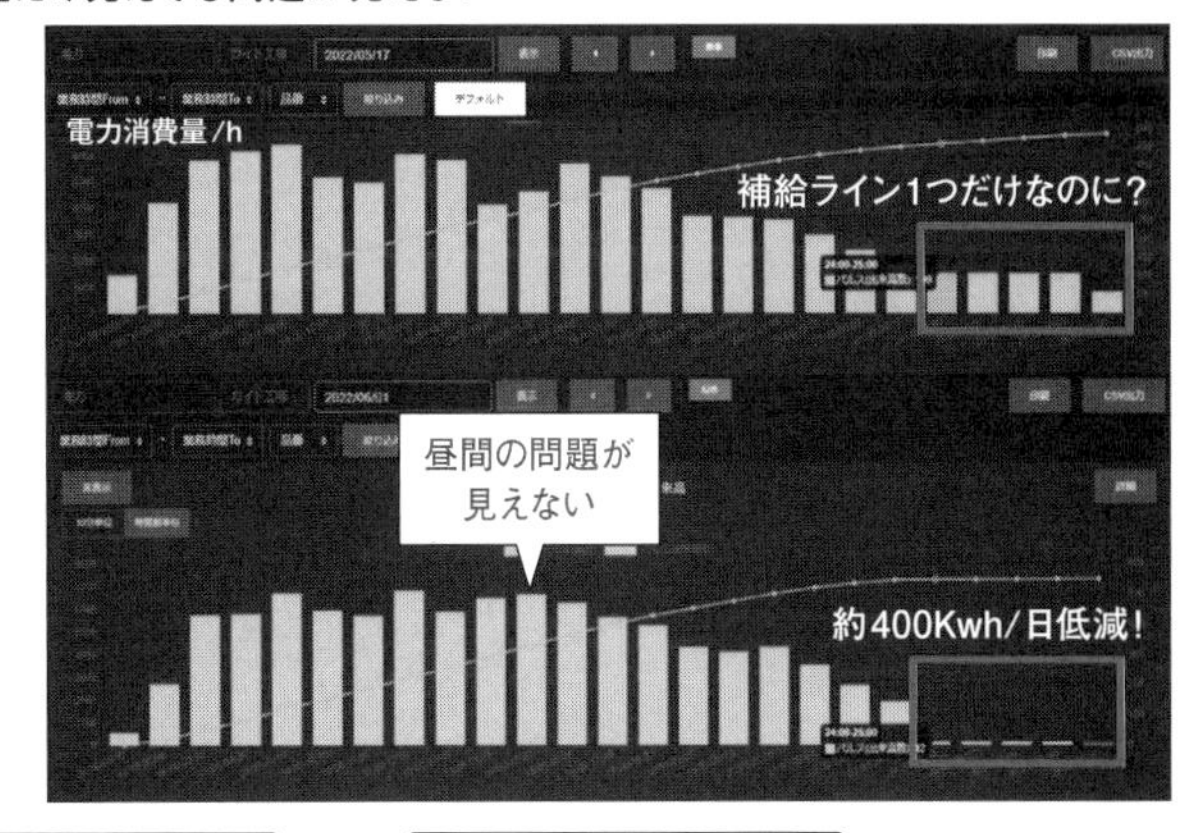

コンプレッサー 37kW　2台 → ベビーコンプレッサー 1.5kW　1台　▼2.7%　▼260万円/年

ムダが見えればカイゼンできる

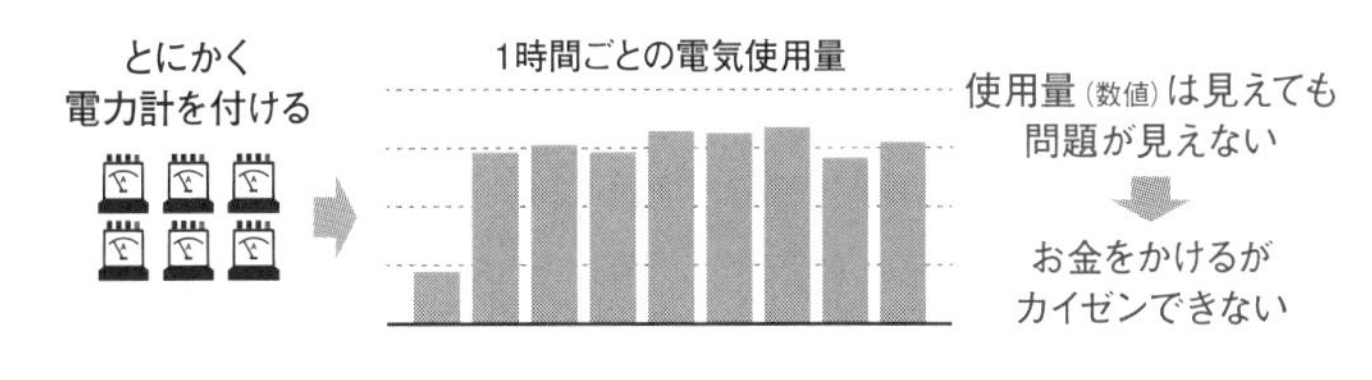

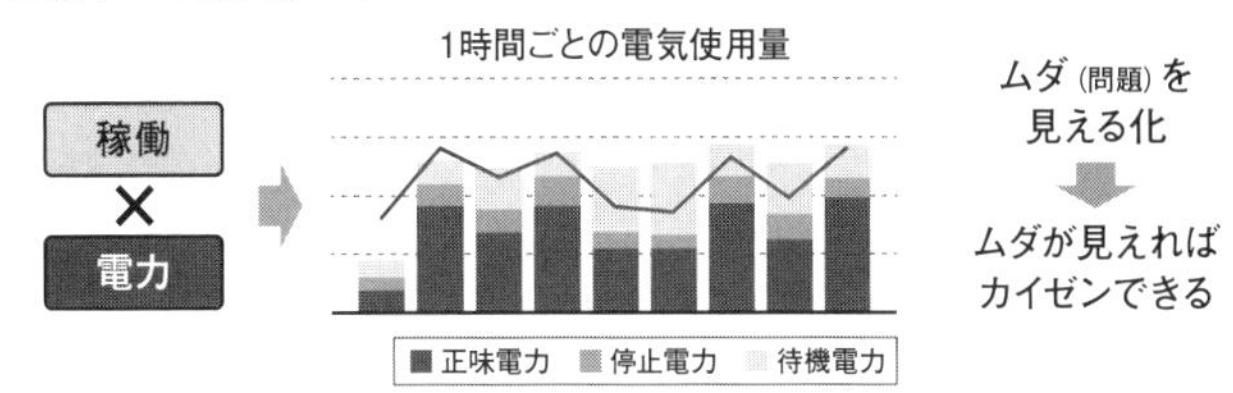

これは大きな削減効果を出した好例ですが、「昼休みと真夜中の稼働率が低い」という稼働情報を知っていたから、電気使用量のデータを見て問題に気がついたわけです。実際、この2つのグラフの昼の時間帯のデータを見ても、何が問題かわかりません。数値だけ見えても問題を解決できない典型的な例です。この例を見ても「見える化すべきは数値ではなく問題」だとおわかりいただけるでしょう。

お客様からご相談いただくケースで多いのが「大量の電力計を全設備に付けて電気使用量を見える化したけど、低減ができない」というものです。低減するには「ムダな電気使用量の見える化」が必要です。

ムダな電力の分析方法

旭鉄工では、電力のうちどこが付加価値を生み出していて、どこがムダであるのかを分析する手法を2種類開発しました。

①稼働データに基づいて電気使用量を分析する

②計算モデルに稼働データを代入して算出する

これらの2つについて説明します。

①稼働データに基づいて電気使用量を分析する

iXacsが自動収集する稼働データに加えて、別の電力測定システムにより電気使用量を把握します。そして、稼働データに基づき、電気使用量を種類別に積算します。

- 正味電力＝正常稼働で生産に使用された電気使用量の積算値
- 停止電力＝停止中など、生産を意図している時間にムダに消費された電気使用量の積算値
- 待機電力＝計画停止など、生産を意図しない時間に消費された電気使用量の積算値

すでに電力測定システムをお持ちのお客様の場合は、そのシステムを生かしつつiXacsを追加で取り付けて稼働のデータを収集し計算することができます。一方で、ゼロ

から電力測定システムを構築するのに高額な費用がかかるのが最大のデメリットです。

②計算モデルに稼働データを代入して算出する

2021年11月時点で、旭鉄工では工場全体とエリア別の電気使用量のデータを測定していました。しかし、設備ごとのデータをすべて測定するには2000台以上の電力計が必要になり高コストなうえ、当時は半導体不足の影響で電力計が入手困難であったため、①とは別の方法を考えました。

私はトヨタの技術部時代、実測した車両のテスト結果から車両運動の計算モデルの内部パラメータを合わせこむ「フィッティング」という技術を扱ったことがありました。それをヒントとして、iXacsの稼働状況データから電気使用量を計算するモデル（以下「計算モデル」とします）を作成しリアルタイムで電気使用量を計算する技術を確立しました。

まず、「電力ロガー」と呼ばれる持ち運び可能な電力計により、製造ライン単位で全設備の電気使用量を1日分だけ実測します。そして、同一期間の稼働状況データを計算モ

フィッティングの考え方と電気使用量の推定精度

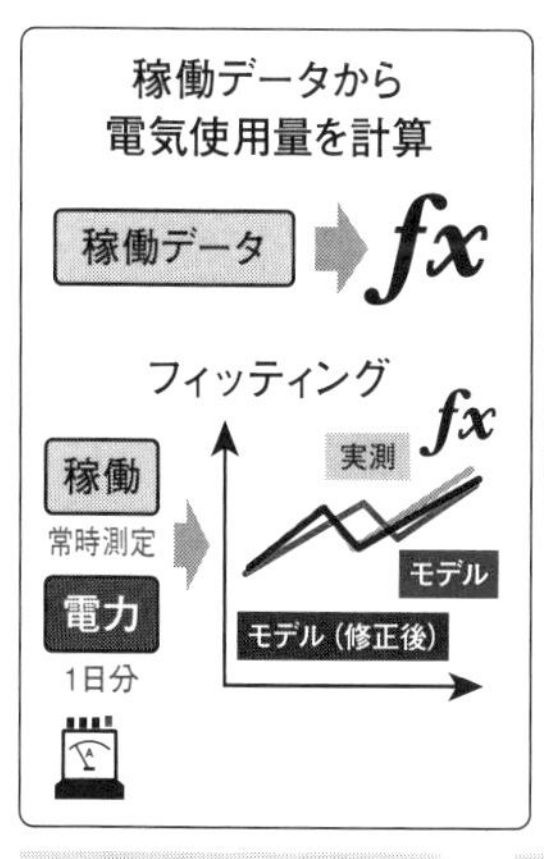

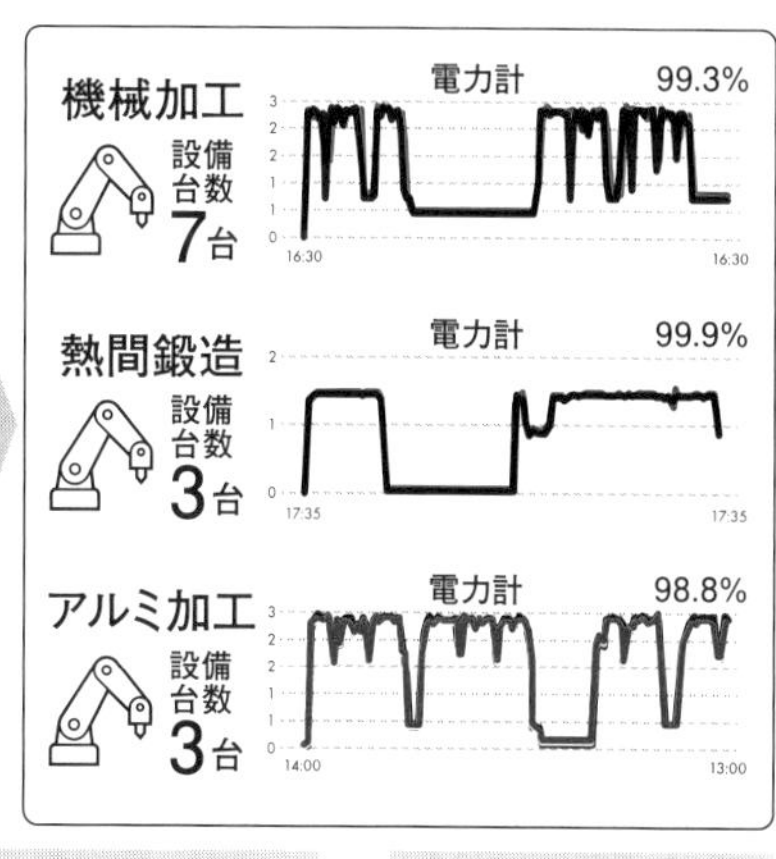

デルに入力したときの電気使用量計算結果が実測結果に一致するように計算モデルの内部パラメータを書き換えます。これにより、その製造ライン固有の計算モデルが求められます。

一度計算モデルを求めてしまえば、独自のアルゴリズムと蓄積したフィッティングのノウハウにより、マシンタイムの異なる複数設備が並んでいるような製造ラインにおいても可動・停止・CT（サイクルタイム）遅れに自動追従し、誤差1％程度の高精度でリアルタイム計算が可能です。停止要因の対策などのカイゼン活動の結果にも自動追従して計算するので、通常のラインオペレーションにおいては計算モデルの修正は必要ありません。待機電力が変わるような設備改造や制御変更をおこなった場合は、当該設備についてのみ1日分の電気使用量データをロガーで収集すれば、再フィッティングと計算モデルへの反映が可能です。

さて、この計算モデルの計算結果と電気使用量の実測値の整合を確認しました。3つの製造ラインでの整合性検証結果を示します。それぞれ設備台数は7台、3台、3台であり、各製造ライン内のマシンタイムはバラバラです。フィッティングでこれらの製造ラインの計算モデルを求め、後日、モニタリングした稼働状況データを代入して電気使用量を計算しました。10分ごとの電気使用量の1日分の実測値と、その時の稼働状況データを使って内部モデルにより計算した同じく10分ごとの計算値を同じグラフに重ね書きしました。実測値と計算値はよく整合しており、1日分を合計した電気使用量の誤差も1%以内と、十分な精度を持つと言えます。

この手法のメリットとしては、次のことが挙げられます。

●リアルタイムでムダが見える
●高価な電力測定システムが不要
●簡単・高精度

デメリットは、カイゼン実施内容によっては当該設備の再フィッティングが必要になる場合があることです。ただ、費用をかけずに①電気使用量を稼働データに基づき分析する方法と同等の結果が得られることから、旭鉄工ではこの手法を全社展開しています。また、電力測定システムをお持ちでないお客様にもこの手法をお使いいただいています。

ムダな電気使用量が見えるメリット

①②の手法ともに、前述の3種類に電力を分類しムダが見えることが最大のメリットであり、狙いです。ムダが見えれば対策が可能になります。

カイゼンの優先順位を付けることができる

次のグラフは旭鉄工本社・西尾・タイ工場の中で23年10月1か月分の正味電力分CO_2排出量が多い製造ラインを順に10ライン並べたものです。「青」が正味電力、「赤」が停止電力、「橙」が待機電力で、その3つを積み上げたものが各ラインの電気使用量の合計になります。このようにムダな電力が多い製造ラインが見える化できれば効率的なカイ

旭鉄工全体で1か月分の正味電力の大きい上位10ライン（2023年10月）

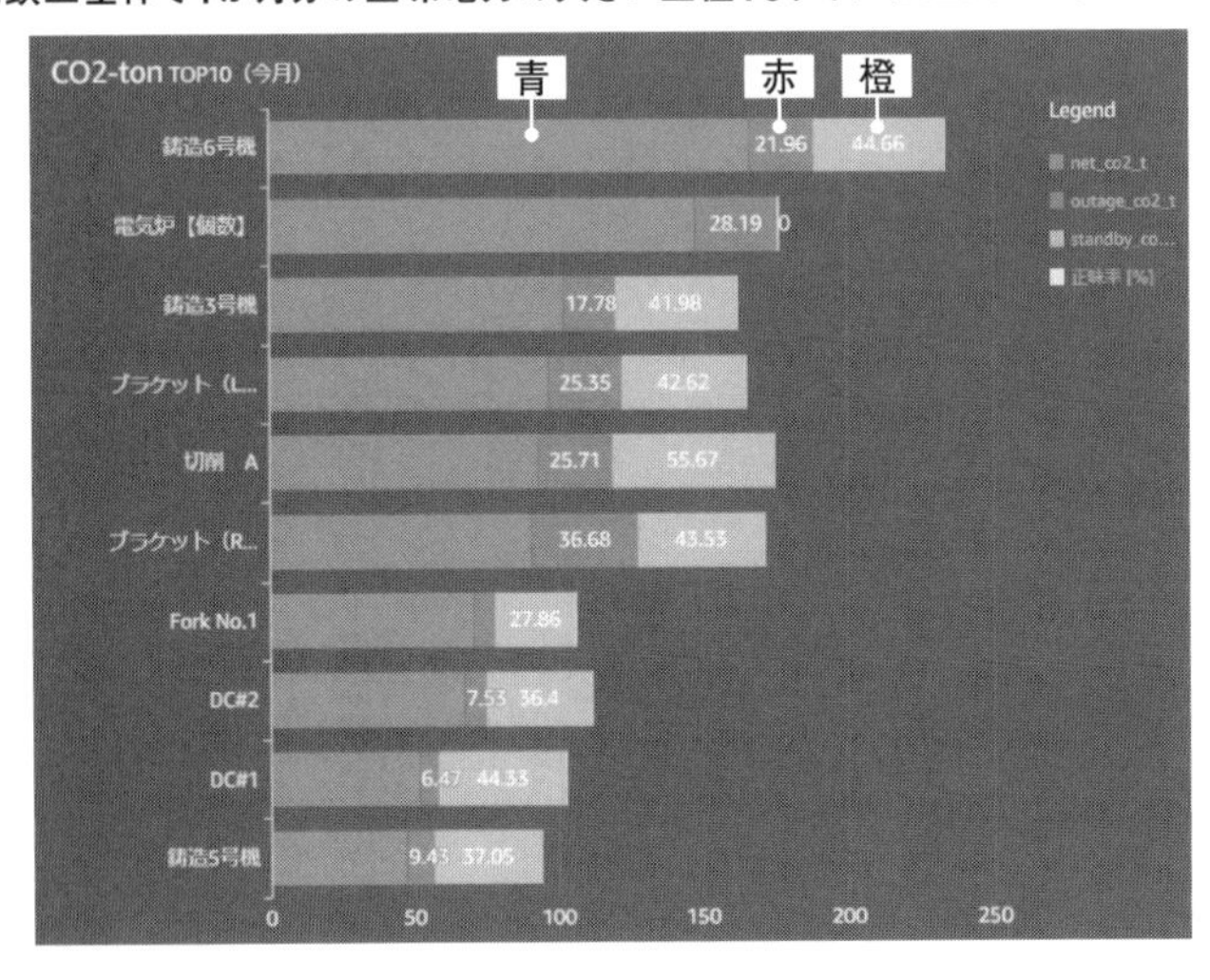

ゼン活動が可能になります。

ムダの多い時間帯がわかる

1時間ごとの電気使用量を24時間分グラフ化することで、昼休みや夕方など、どの時間で待機電力および停止電力が多いのかを視覚的に判断できます。日本の製造現場は真面目ですから、このように問題が見えるようになると、その問題を直そう、つまりムダな電気使用量を削減しようとします。

旭鉄工西尾工場の24時間分の電気使用状況を表したこのグラフでは、10時と20時前後の休憩時間、および0時以降の待機電力が相対的に多いことが見て取れます。ここまでわかれば、次は現地現物です。

西尾工場のモニタリング対象全ラインの1時間ごとの電気使用量(23年11月1日)

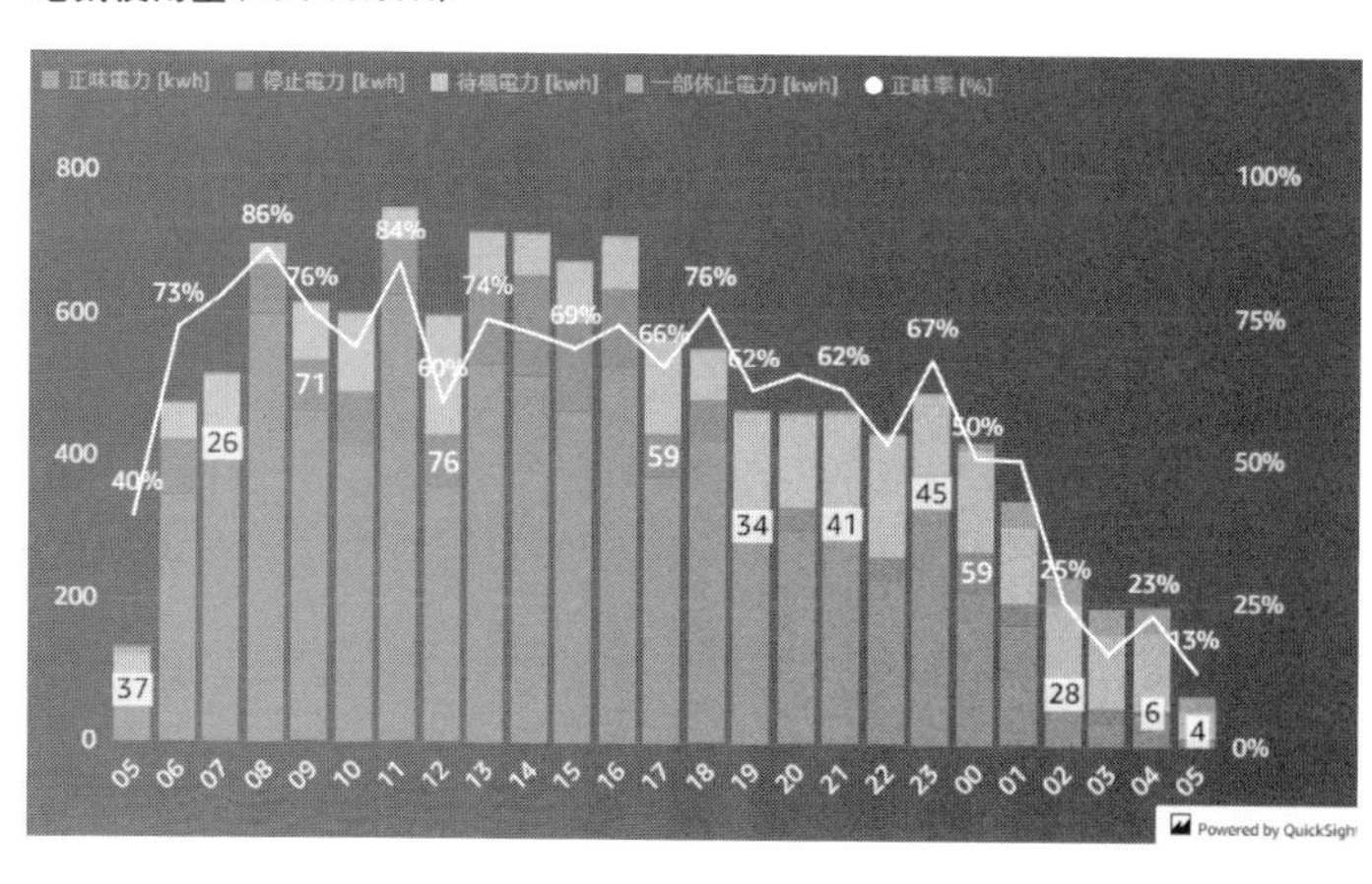

電気使用量を低減する手法と順番

3種類の電力の基本的な低減手法と優先順位は次のとおりです。

①待機電力　電源オフ、設備待機時の電力低減
②停止電力　停止削減、設備停止時の電力低減
③正味電力　CT（サイクルタイム）短縮

カイゼンすべき順番としては　①待機電力＞②停止電力＞③正味電力　です。

各電力の重みづけを考える

ｉＸａｃｓでは稼働状況からリアルタイムで電力を計算していますが、概念的には次のようになります。

電気使用量＝正味電力×可動時間＋停止電力×非可動時間＋待機電力×待機時間

かんたんな式ですが、それぞれの項は電力［ｋＷ］×時間［ｈ］となっていることがポイントです。電力の削減幅［ｋＷ］とその時間［ｈ］をかけたものが効果ですから、両方を考慮する必要があります。

たとえば、モーターを小さくするとか、エアシリンダーを電動シリンダーに置き換えるなど、技術起点で正味電力［ｋＷ］を小さくしたくなるのが技術屋の性ではありますが、可動時間が短ければ効果も少なくなります。逆に可動時間が長ければ、効果は大きくなります。効果的な対策のためには、まず各電力とその時間を正確に把握する必要があります。

以降では、３種類の電力について低減手法を示します。

待機電力の削減

待機状態を3つに分ける

旭鉄工では、待機状態（生産を意図していない状態）を次の3つに分けています。

- 待機　　　　：電源が入っておりすぐに生産できるが、生産の意図がない状態
- 一部電源オフ：すぐに復帰できる設備のみ電源が切られた状態
- 電源オフ　　：ほぼ全部の電源がオフで、待機電力がゼロもしくはかなり小さい状態

対策としては、電力［kW］および時間［h］の両面を考えると、次の2種類です。

①大きな待機電力を消費する時間を短くする

①大きな待機電力を消費する時間を短くする

できる設備は電源オフ

お金もかからず、すぐにできるうえ、効果も大きいのが、電源オフの徹底です。「電源オフできない設備がある（からどれもやらない）」という声をしばしばいただきますが、「まずできる範囲で電源オフ」することを考えましょう。

西尾工場のあるエリアでは152台の設備のうち40台は昼休みなどに電源をオフしても問題ないことがわかりました。昼夜で2回の休み時間にそれらを電源オフするだけで、排出量を▼1・4％削減することができました。

こまめな電源オフが必要

2023年5月の西尾機械部の1日あたりの負荷を示します。日あたり0～1時間、1～4時間、4～8時間など負荷の低いラインが多くあることがわかります。

このうち4ラインを無作為に抽出し、1時間ごとの電気使用量をグラフで表示してみました。稼働開始・終了、稼働時間などがばらばらであること、12時台の昼休みに待機電力が多いこと、3番目のラインは稼働終了後の電源オフが遅れたこと、などがわかります。また、これらのグラフを見る限りまだ待機電力削減ができそうに思えます。

現場で一目瞭然の対策

旭鉄工でおこなっている待機電力低減の対策は、難しいものではありません。写真のように、「作業終了時は必ず電源ＢＯＸをオフにすること」と表示しました。蓋を開けるとブレーカーがあり、稼働終了時に操作すればこの製造ライン全体の電源が切れます。また、昼休みなどの短時間の非稼働時間については、部分的にであれば電源をオフできる設備について「休憩時は必ず非常停止ボタンを押すこと」の札を掛け、昼休み開始時に設備の非常停止ボタンを押します。これにより部分的にでも待機電力を削減します。

西尾機械部23年5月度ライン負荷(H／日)

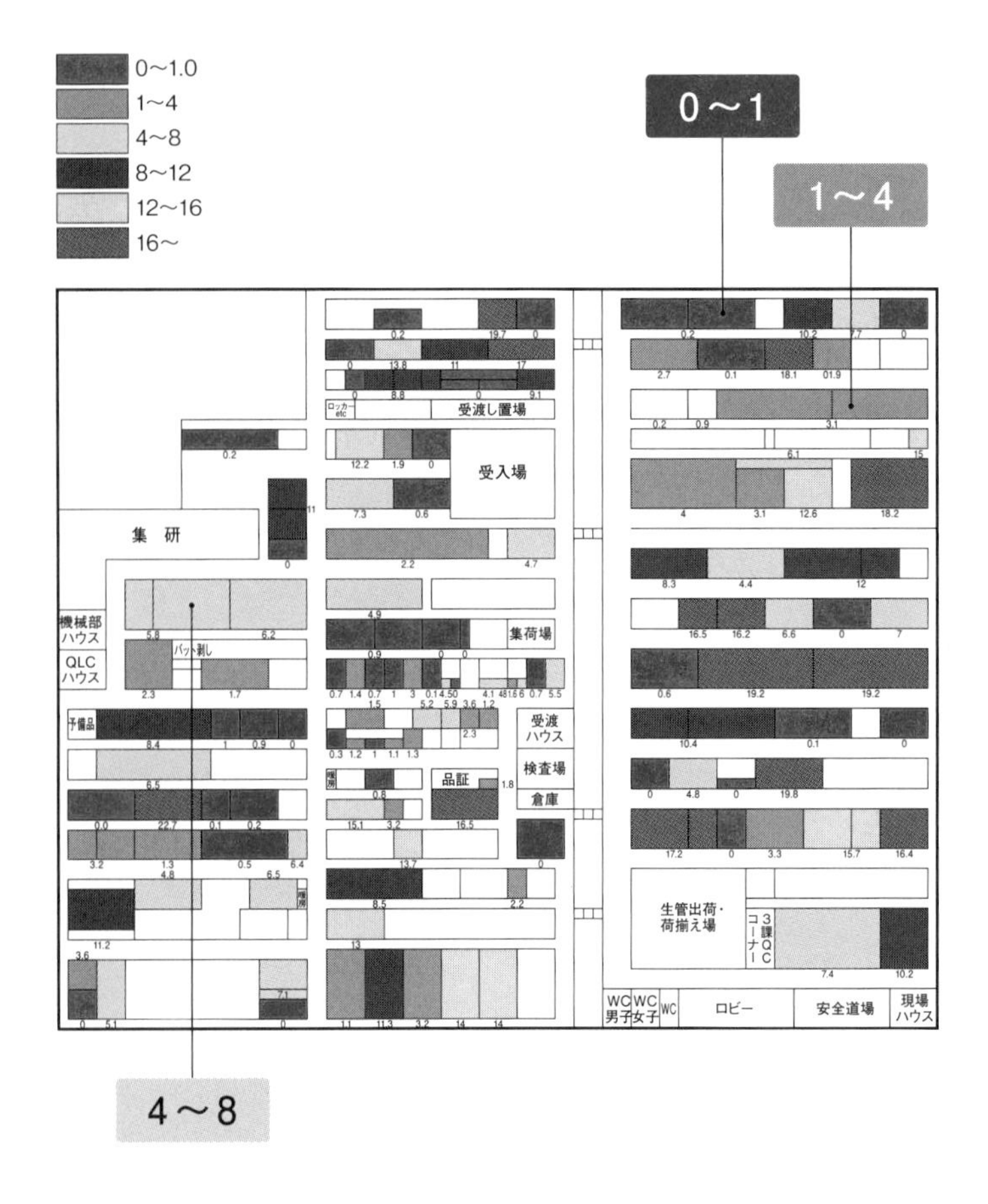

無作為に抽出した4ラインの1時間ごとの電気使用量

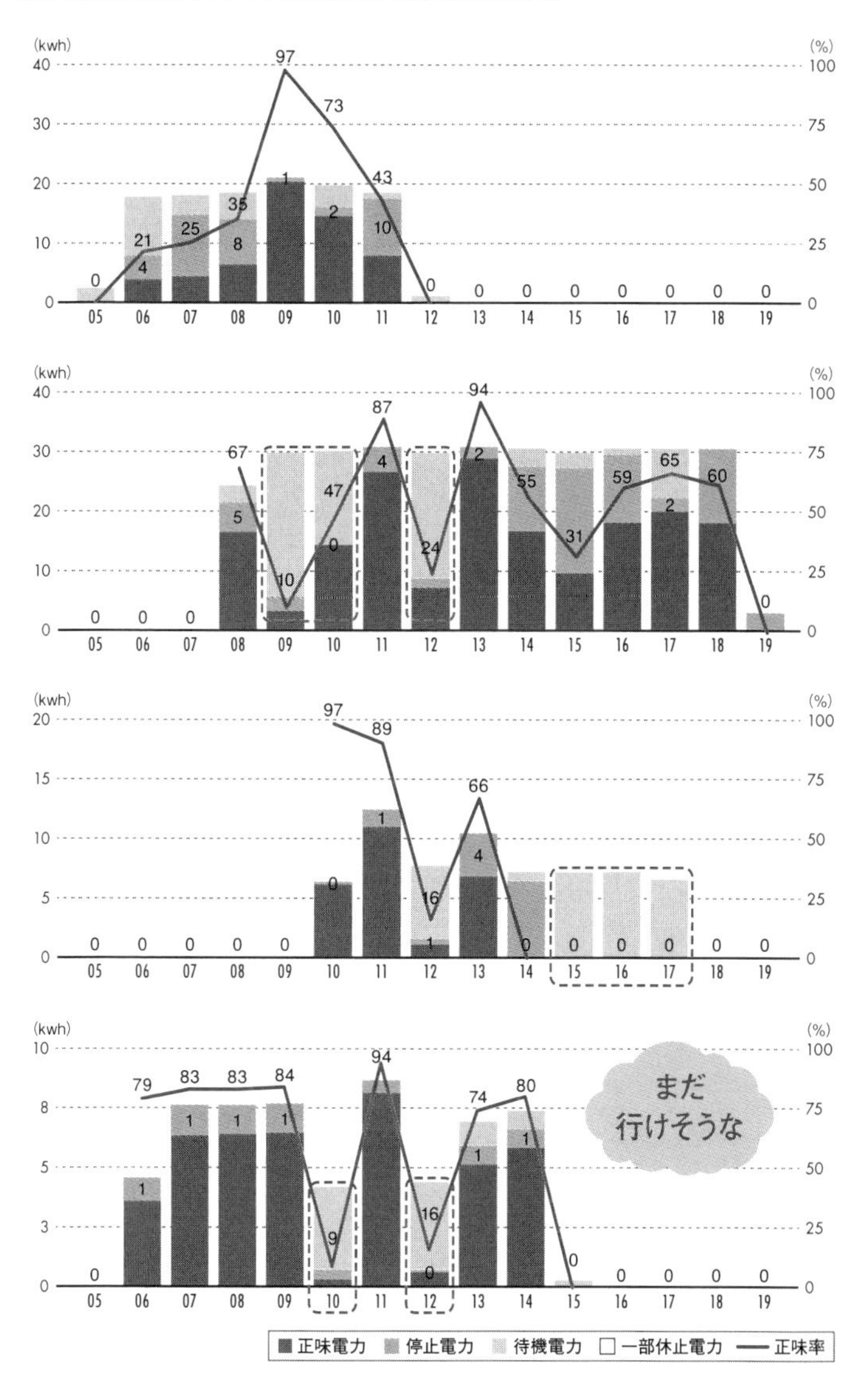

札をかけて一目瞭然

稼働終了後

昼休みなど

ムダが見えると現場は直そうとする

電源オフの見える化

こうした「設備の電源オフの状況」も見える化が必要です。旭鉄工では各係単位のスペースにディスプレイが設置されており、製造ライン単位で電源オフの状況を見える化しました。

各表示の意味は次のとおりです。

- 設備稼働　：正常に生産中
- 設備停止　：生産が停止しており、電力をムダに消費しています。停止電力として集計されます。
- 電源ＯＦＦ：意図的に生産を停止しており、キチンと電源が切られています。
- 計画停止　：意図的に生産を停止しています。

西尾工場の製造現場に置かれたディスプレイの表示

iXacs　旭鉄工 西尾機械工場　ライトモード　日本語

あんどん表示

切削	設備稼働	フックC	設備稼働	リヤカバー2号機	設備稼働	シャフトB	9分経過… 刃具交換(MI)
溶着	設備稼働	フックD	設備稼働	アルミ少量寄留	電源OFF	レバー(切削)	その他
外回り作業者	電源OFF	フックE	電源OFF	レバー	設備稼働	レバー(プレス)	設備稼働
フックA	設備稼働	フックF	設備稼働	ヘッドフォーク	設備稼働	(プレス)	電源OFF
フックB	設備稼働	-B	11分経過… 設備停止	C	計画停止		

電源は切られていないので、状況を確認することが必要です。

また、西尾工場では天井近くに各ラインの管理状況を見える化するディスプレイを設置しました。こういった「問題の見える化」により、工場のマネジメントはレベルアップしていきます。

電源オフ徹底で月間の電気使用量を6割削減

次のグラフは、旭鉄工西尾工場のある製造ラインの朝5時から24時間分の1時間ごとの電気使用量を見える化したものです。濃いグレーが生産を意味する正味電力、薄いグレーが生産を意図していない待機電力ですから、夜中0時前以降と朝10

電気使用量を6割低減した西尾工場の例

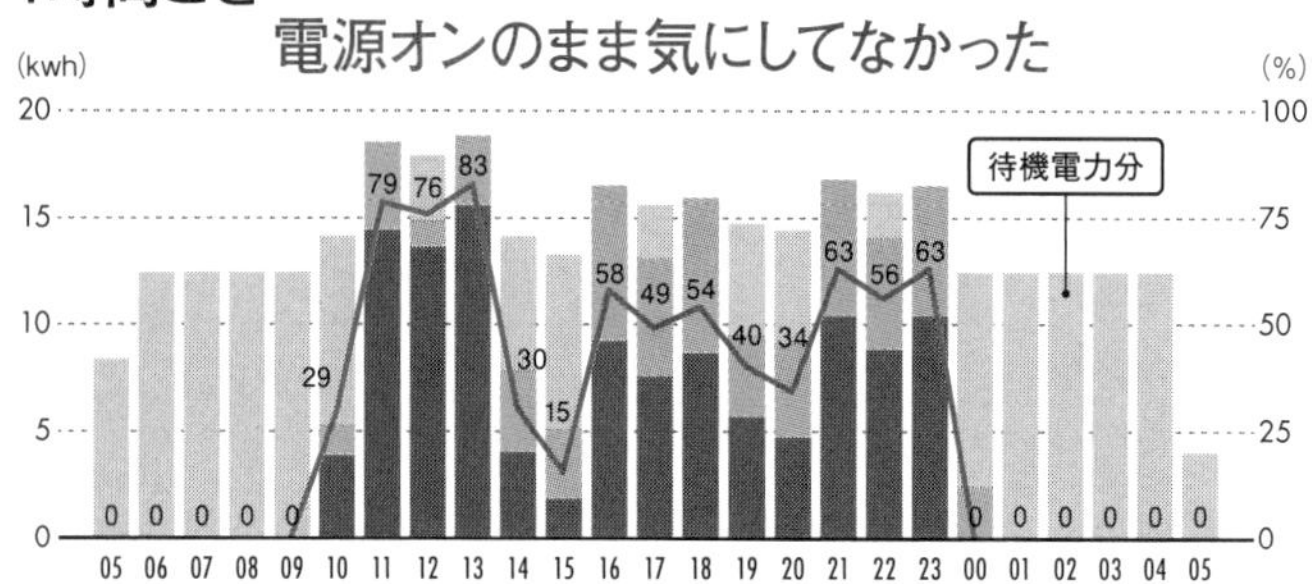

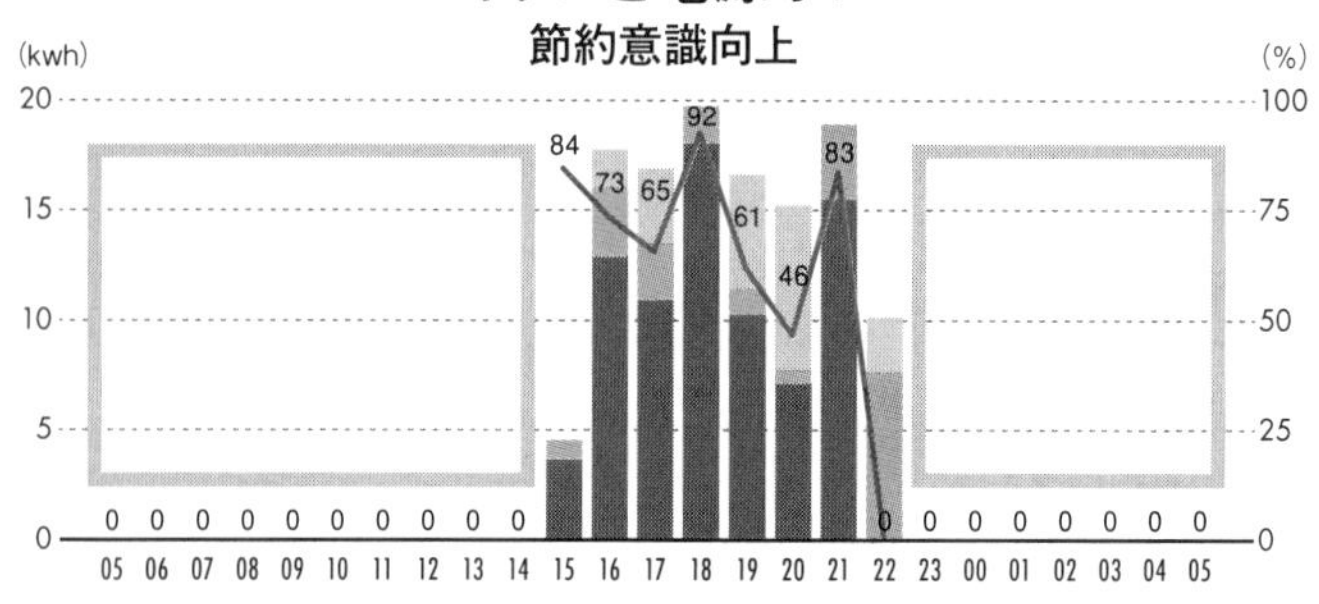

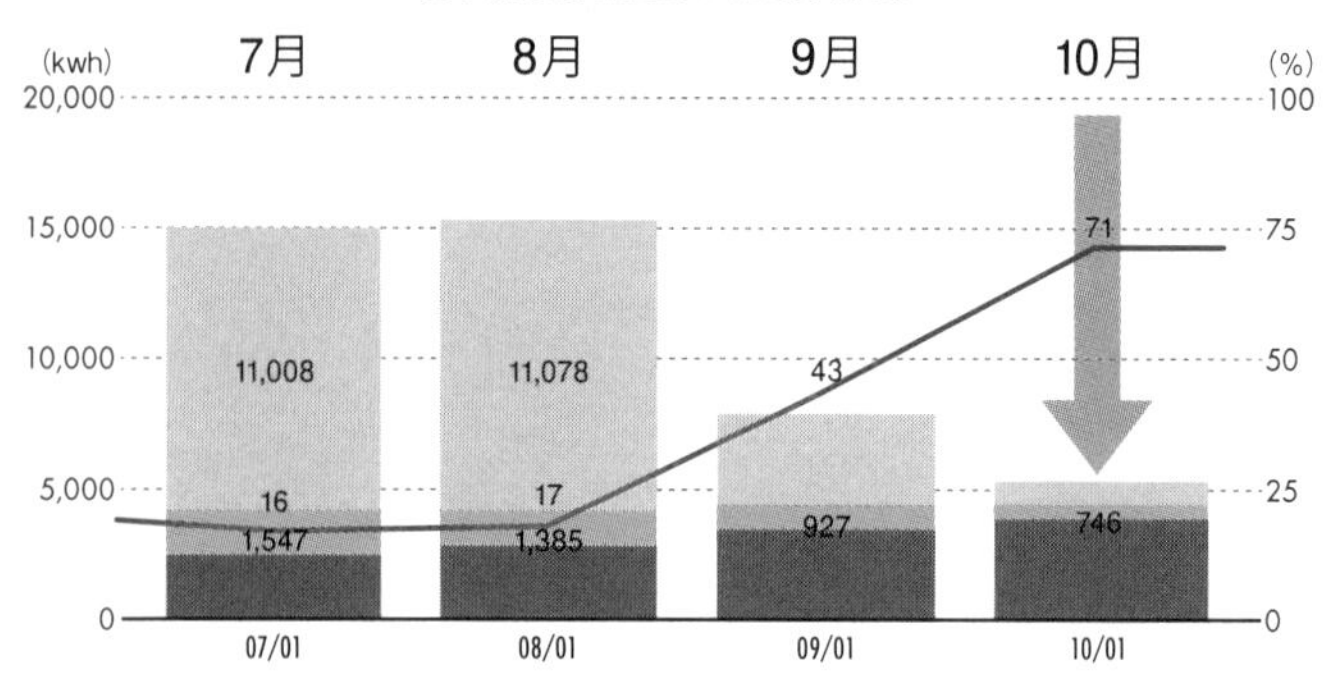

時以前は生産していないのに設備の電源が入りっぱなしで待機電力を消費していることがわかります。

これは特殊な例ではなく、旭鉄工のあちこちで起こっていました。これまで製造現場が主体となって生産性向上に取り組んできましたが、省エネについての意識は高いとは言えず、生産が終わっても電源を切っていませんでした。それがムダな待機電力を見える化したことで、キチンと電源を切るようになりました。これにより、この製造ラインについては、なんと月間の電気使用量を6割も減らすことができました。日本の製造現場は真面目ですから、ムダが見えればそれを削減しようとするのです。

わずか3ヶ月でコストをかけずに電気使用量を42%も削減

旭鉄工のタイ現地法人ＳＡＭ（Siam Asahi Manufacturing）では、２０２３年1月から電気使用量低減の活動をおこない、休憩時間と作業終了後の電源オフを徹底しました。電源オフにするのに必要な時間と、設備を生産に復帰する時間・安全・品質の3点に留意し、現場の負担を最小限にしつつ電源オフのルールを設定し、実行。それを現場でマネージャーがしっかりフォローするようにしました。

【タイの例】12月8日と3月8日の1時間ごと・1日分の電気使用量

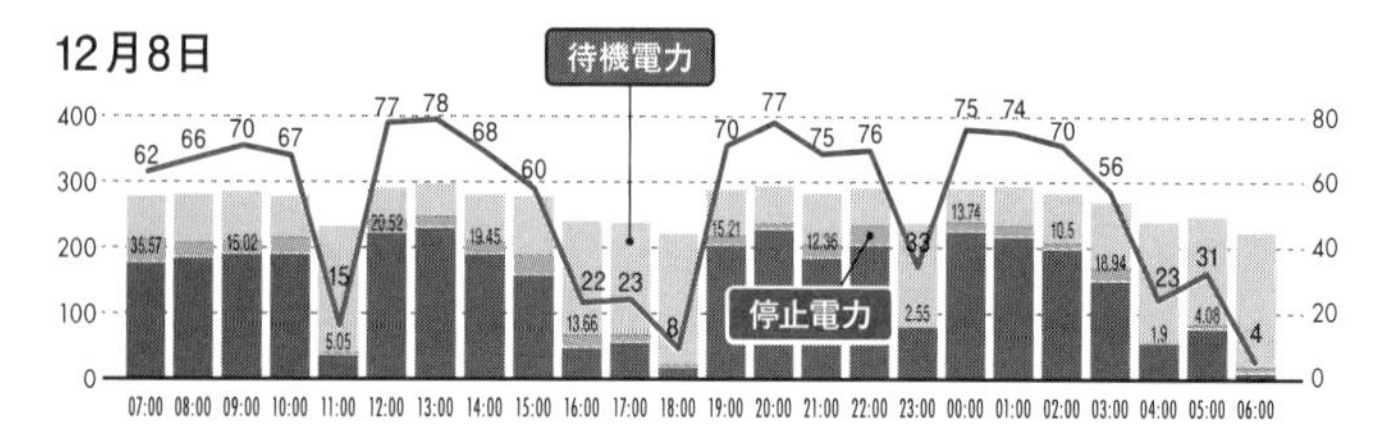

3月8日

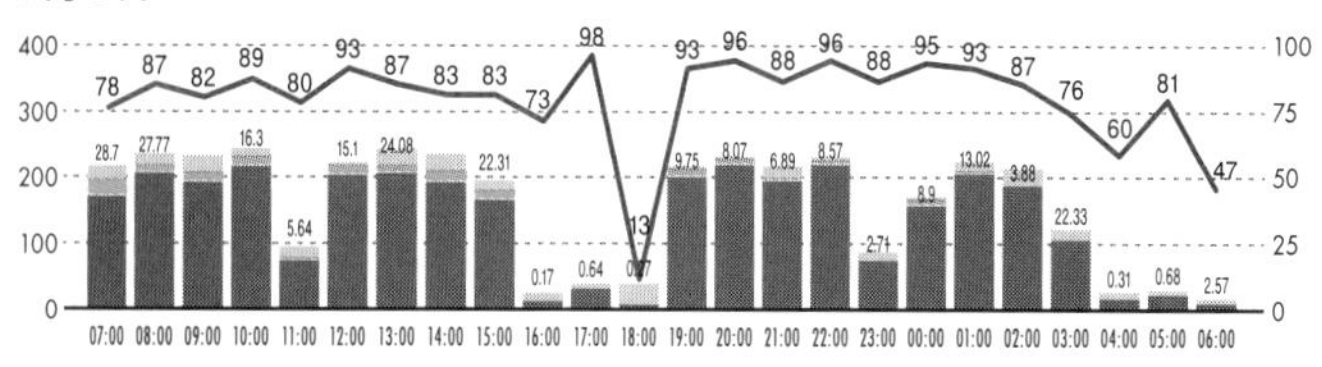

正味率 55→87%　　電気使用量 ▼42%低減

タイではわずか3か月で65%も低減

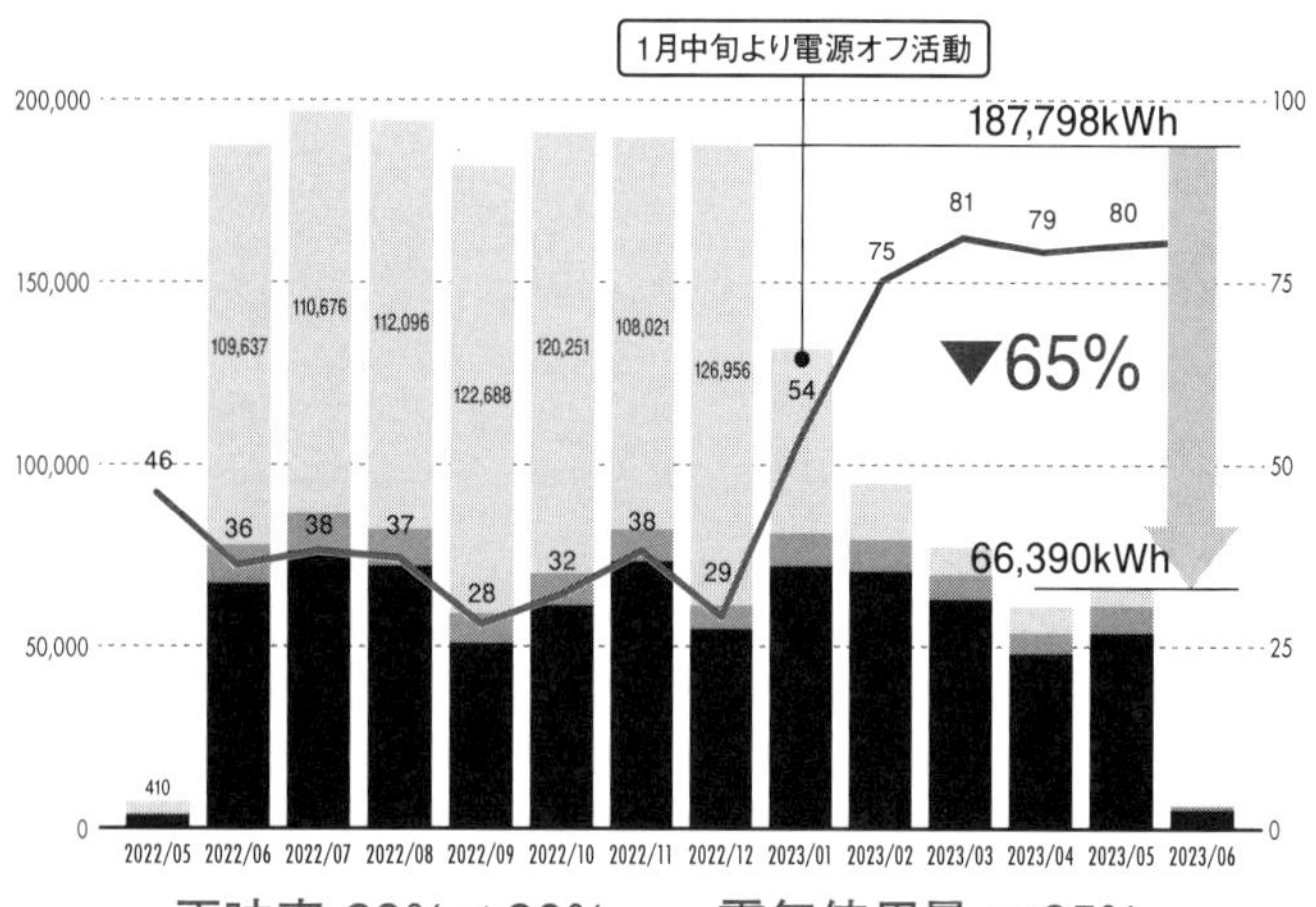

正味率 29%⇒80%　　電気使用量 ▼65%

これが、わずか3か月で大きな成果をあげました。図の上段が２０２２年12月8日、下段が２０２３年3月8日の1日分、1時間ごとのデータです。11時台と23時台の休憩時間と、16～19時と4～7時の昼勤夜勤の入れ替わりを中心として、薄いグレーが示す待機電力の浪費が減っているのがひと目でわかります。正味率は55→87%に向上、電気使用量が42%も下がっています。

全製造ラインの毎月の電気使用実績を示したグラフでは、取り組みを開始した1月から急激に下がったのがわかります。２０２２年12月と２０２３年5月を比較して、65%もの低減効果が確認できます。

わずか3か月で、コストをかけずにこれだけ現場管理が変わって、電気使用量が下がるというのは驚異的です。これが、見える化と従業員の行動を引き出した効果です。

②待機電力そのものを小さくする

西尾工場にある製造ラインで待機・停止中の設備の状態変更で、待機電力がどう変わるかという例を示します。

●元の待機電力　　6・88kW
●刃物回転を停止　▼1・33kW↓5・55kW
●油圧ポンプ停止　▼3・34kW↓2・21kW
●制御盤の電源オフ　▼1・56kW↓0・65kW

結果として、昼休みの待機電力が6・88kW↓0・65kwと▼6・43kW、91%も下げることができました。旭鉄工の稼働日は年間244日ですから、1日1時間の昼休みにこの対策をおこなうと、次のような電力低減効果があります。

6・43kW×1h×244日＝1569kWh＝47068円／年

このように、全部の設備の電源をオフできないとしても、「昼休みだとどこまでできるのか」「10分間の休憩ではどこまでか」というように「オフできる範囲」を考えて実行することを積み重ねることも、大きな効果につながります。

column 「電源切ってます」と言っても……

前述したように、待機電力とは生産を意図しない昼休みや稼働終了後に消費される電力のことです。その後の調査で、人の思い違い、思い込みや言葉の行き違いによる勘違いでムダな電力を使用していることがわかりました。その事例を3つ紹介します。

①設備の電源は大元から切ることが重要

作業者に話を聞いたところ「生産終了後はきちんと電源を切っています」という返事でした。しかし、実際には設備の裏にある大元の電源が切られておらず、待機電力が発生していました。作業者は設備の画面や機内照明が消えていたので、一見電源が切れているように見えていたのです。このような事例はほかにも多くありました。

②設備と関連するものが別々の電源になっている

冷却用の循環ポンプや集塵機などは、設備の電源を切っても動き続けており、待機電力を消費していました。作業者は、設備の電源を切ると、設備に付随するもののすべての電源が切れていると思い込んでいたのです。

③電源を切れない設備があるとライン全体も切れないと思いこむ

作業者から「ここはラインすべての電源を切ってはいけないという認識です」という回答がありました。本当はそのラインの中の1つの設備だけが電源を切れないのですが、その対象が「設備」から「ライン」に変わってしまっていたのです。原因としては、次のことが考えられます。

- 電源を切らない設備に明確な表示がなかった
- 表示が古くなっていて、見えなかった

●そもそも表示が小さくて、見えにくかった
●説明が口頭だけで、年月が経つにつれ情報が伝わらなくなっていた

こういった事実は、表面的な聞き取り調査では把握できません。どこまで電源を切れるか設備を1台1台調査し、その成果をデータで確認する。そんな地道な作業が必要です。しかし、それにより思ってもみなかった大きな節電効果を得ることができます。

停止電力の削減

停止電力の削減には次の2つがおもな対策になります。

①停止時間を短くする
②停止電力そのものを小さくする

①停止時間を短くする

停止時間を削減すると、労務費と電力料金の両方を削減することができます。電気使用量低減の観点から効果を定量的に確認してみます。

定期的なツール交換の場所をラインのすぐ近くに移動し、交換時間を1回28秒1日4回短縮した場合で考えてみましょう。停止電力は50ｋＷとします。

●労務費の効果　28秒÷3600秒×4回×20日×5000円＝3111円／月
●節電効果　28秒÷3600秒×4回×20日×50kW＝31・1kWh／月

1つ1つの効果は小さいように見えますが、旭鉄工のカイゼン活動はこういった地道なアイテムの積み重ねです。それが大きな効果につながります。

②停止電力そのものを小さくする

電力消費の多いものの1つに油圧ポンプがあります。製品を油圧シリンダーでクランプ（保持）したり、加工部分の冷却や潤滑、切粉の除去のためにクーラントを流したりするために使われます。その電力は数kWにもなるものが多く、停止電力および待機電力を押し上げます。

西尾機械において、プレス機1台、マシニングセンター3台、フライス盤2台の合計6台の設備で構成されているラインがありました。このライン全体で見ると、正味電力

設備内のポンプ早期停止による電気使用量の削減

	ポンプ制御変更	西尾工場機械加工ライン（マシニングx3、フライス盤x2）	
		停止中	個当たりCO_2 (g)
改善前	停止時も油圧ポンプ常時稼働	17.6KW	0.770Kwh
改善後	設備停止2～6秒で油圧ポンプ停止	11.0KW	0.645kWh ▼16%ダウン

は24・6kW、停止電力は17・6kWでした。マシニングセンターとフライス盤について、2～6秒停止した場合に油圧ポンプを停止するよう制御を変更したところ、停止電力を11・0kWに下げることができました。これは一見停止電力と待機電力を下げる対策に思えますが、CTはマシンタイム（各設備ごとの加工時間）より長いので、正常な加工サイクルの正味電力を抑える効果もありました。結果として、1個あたりの電気使用量は0・77kWhから0・65kWhへと、▼16%もの低減効果が得られました。

正味電力の削減

正味電力はCTの短縮により削減可能です。一般的には、停止の削減とセットで、時間あたり出来高（生産個数）を増やす活動の一環として実施します。

CTを短縮して、時間あたりの出来高を増やす

西尾工場にある樹脂部品の成形機（金属製の金型に樹脂を流し込み部品を成形する設備）では、1回のショットで8個の部品を成形していました。その金型を改良し、1回のショットで12個部品を成形できるようにしました。

すると、1ショットのCTは13・55秒／8個が17・44秒／12個と長く、消費電力は0・0268kWh／8個が0・0343kWh／12個と多くなりました。しかし、1個あたりCTは1・69秒が1・45秒へと短縮され、消費電力は0・0034kWhが0・

0029kWhへと15%削減されました。

電力変遷図をもとに生産性向上と電力低減を同時におこなう

旭鉄工では、生産性向上のためのカイゼン活動の際、省エネ（待機電力低減）を合わせて実施するようになりました。その活動をおこなうにあたり活用しているのが電力変遷図です。電力変遷図とは、製品1個あたりの電気使用量の目標と現状の乖離を明確にし、生産性向上（時間あたり生産個数増）と合わせてカイゼンを推進するためのグラフです。

図の数値の定義は下記のとおりです。

- 縦軸　：時間あたり消費電力＝1日の消費電力÷稼働時間
- 横軸　：時間あたり出来高＝1日の総生産個数÷稼働時間
- 斜めの等高線：製品1個あたり電気使用量＝時間あたり消費電力÷時間あたり生産個

電力変遷図

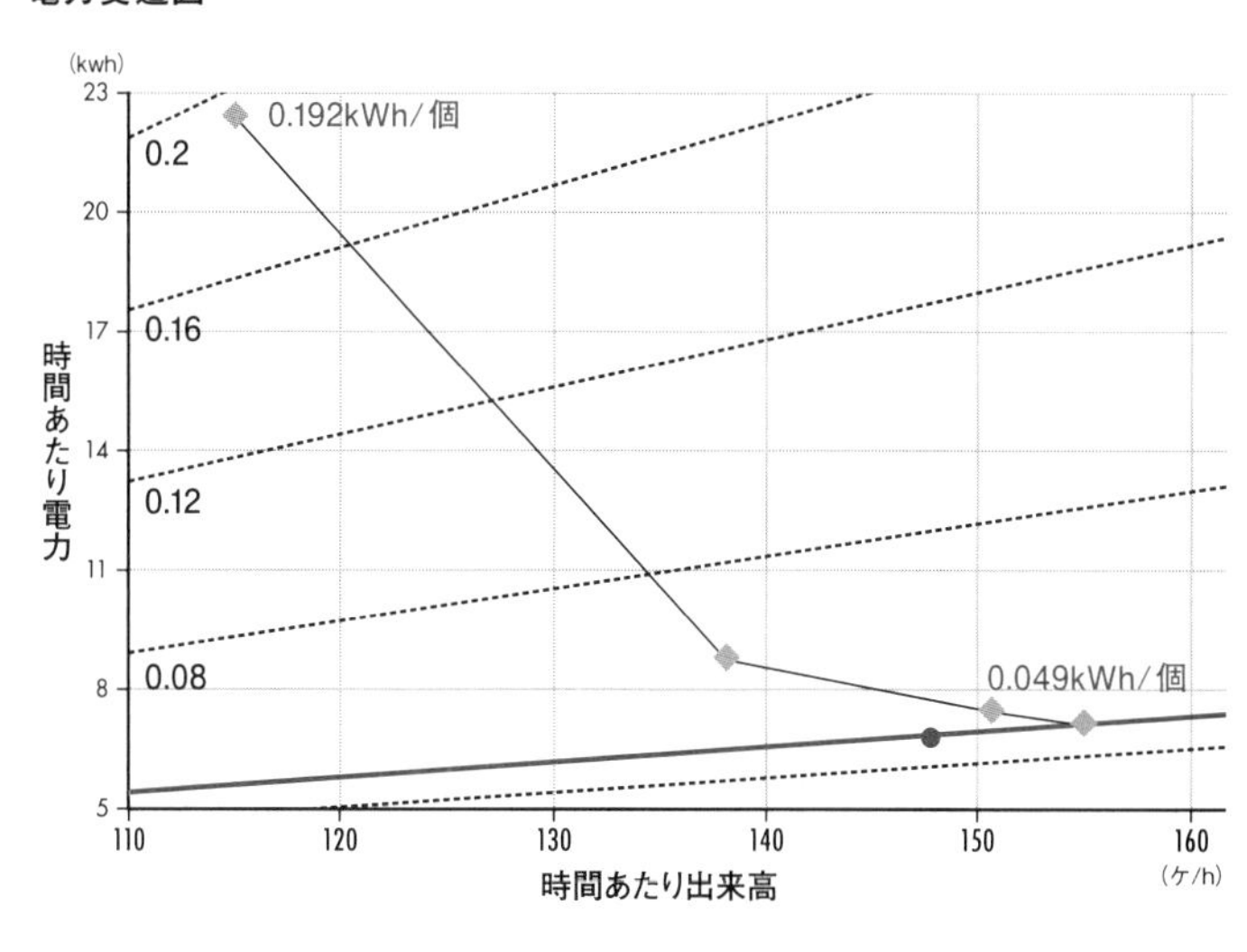

数

このように定義することで、カイゼンと省エネによる製品1個あたりの電気使用量の変遷を見える化し、活動を推進することができます。

実力を示す点を目標である等高線の下に入れるには次の手段があります。

- 待機電力削減で、縦軸の1日の総電気使用量を低減（点を下に移動）
- 停止の削減により電気使用量を低減しつつ時間あたり生産個数も増加
- CT短縮により時間あたり生産個数を増加（点を右に移動）

樹脂部品を超音波溶着する製造ラインで生産性

向上のカイゼンと同時に製品1個あたりの電気使用量を低減しました。スタート時の0・192kWh／個に対し、約4分の1の0・05kWh／個が目標です。

- 待機電力　：生産終了時と昼休憩時の電源オフ
- CT短縮　：確認タイマーの短縮　ほか
- 可動率向上：段取り替え作業の短縮　ほか

待機電力低減の対策により、時間あたり電力が約22kWhから約3分の1に下がりました。

加えて、CT短縮と可動率向上により、時間あたり生産個数が115個／hから155個／hまで35％向上。それにより、1個あたりの電気使用量が0・049kWh／個まで下がり目標を達成しました。

その他電力の削減

3種類の電力の低減方法について述べましたが、現時点ではその3種類に分類できていないものもあります。その1つが複数の製造ラインに設備の駆動や洗浄などのために供給されている圧縮空気を作るエアコンプレッサーで使用する電力です。旭鉄工では電気使用量の15％とかなりの部分を占めています。

設備の電源とエアの供給を連動して漏れを低減

エアコンプレッサーの消費電力はものによってさまざまですが、数十kWから数百kWにもなります。休日に静まり返った製造現場に行くと、エアが漏れるシューシューという音が聞こえます。エア漏れはムダな電力を消費しますが、漏れている場所が特定できなかったり、部品が古すぎるなどの問題で直せないことがあります。

非稼働時のエア供給遮断による電力消費量の削減

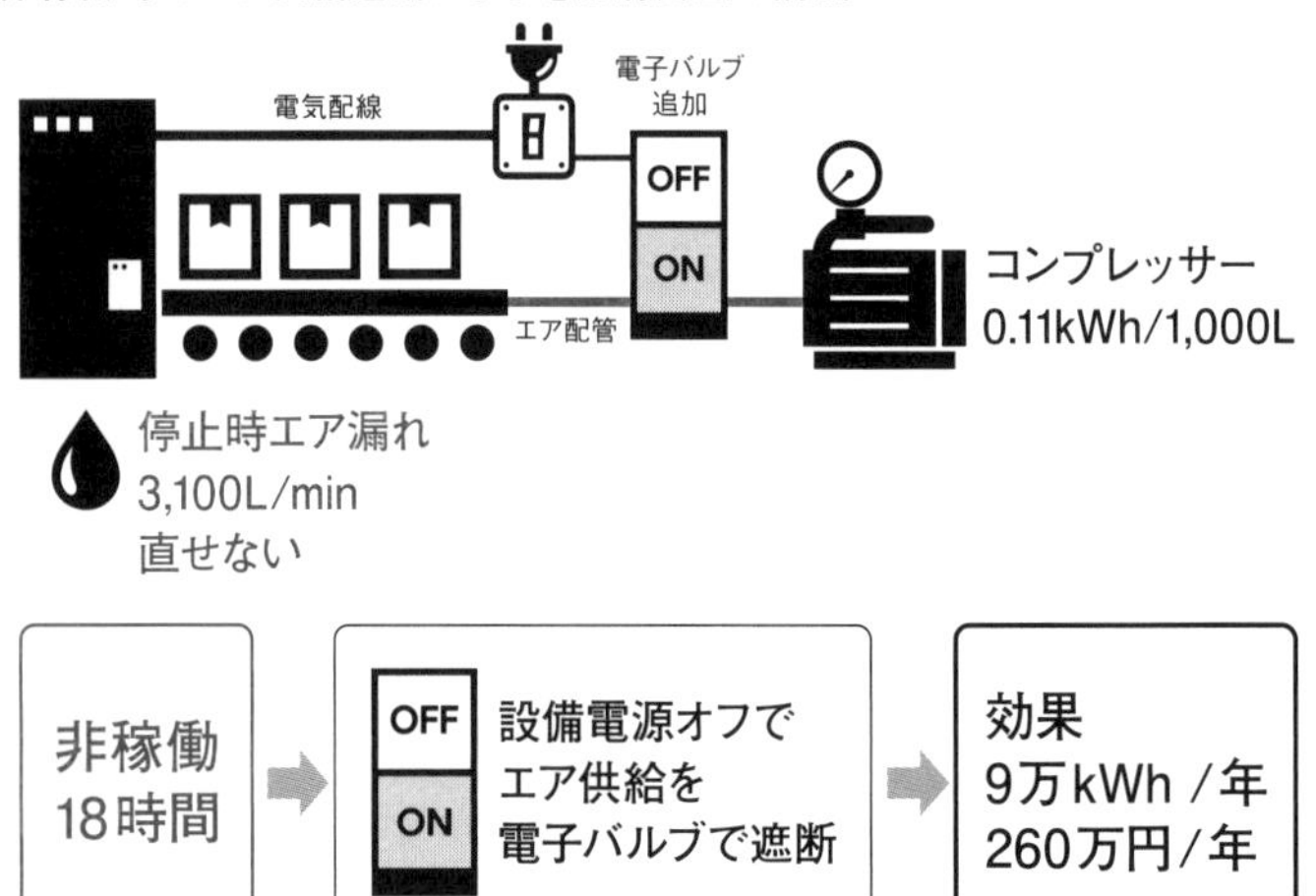

西尾工場のある3つのラインでは、1分間に3100L/minのエアが漏れていました。あるコンプレッサーでは、1000Lの圧縮空気を作るのに約0・11kWhの電力が消費されます。稼働時間は1日6時間、非稼働時間18時間です。

「稼働中の漏れは仕方ないとして、非稼働時の漏れは撲滅しよう」と、設備に供給されるエアの配管の途中に電子バルブを設け、設備の電源を切ると同時にエアの供給を遮断するようにしました。これにより、非稼働時間の漏れを止めることができ、年間で81万㎥メートルの漏れ、9万kWhの電気使用量、260万円の電力料金を低減しました。

低減効果が大きいので低稼働の製造ラインから横展開していきます。

電力削減を進める仕組みと成果

ここまでは具体的な電力削減の取り組みをご紹介しました。ここからは削減を進めるための仕組みと成果を説明します。

横展アイテムリストの電力バージョンでさらなるCO_2排出量削減へ

これまで旭鉄工では、カイゼンのアイデア出しと人材育成を主目的として「横展アイテムリスト」にカイゼン事例を集約し、共有してきました。CO_2排出量低減活動の開始に伴い、これまでCT短縮と停止の削減について記述されていた横展アイテムリストに「電力アイテムリスト」が加わりました。多くのアイテムが幅広く追加されつつあります。

電力アイテムリスト

横展アイテムリスト（電力）　　ライン名【　　　　】

No.	項目（効果）	アイテム（観点）	効果設備	診断	計画	実施	担当
		第1着眼点【設備を正しく使えているのか】					
1	全電力	エアー漏れの原因を修理する（パッキン・エアーホース・継手・バルブ等）	コンプレッサー				
2	全電力	水漏れの原因を修理する（パッキン・水道管・継手・バルブ等）	ポンプ				
3	全電力	油漏れ（油圧油・潤滑油・クーラント・洗浄液）の原因を修理する	ポンプ				
4	停止電力	潤滑油・グリスを適切に使用して機械的損失を減らす	モーター				
		第2着眼点【現場主体ですぐやれること】					
5	正味電力	エアーガンの流量を下げる	コンプレッサー				
6	正味電力	コンプレッサーの設定圧を下げる	コンプレッサー				
7	正味電力	シリンダのストローク短くする	コンプレッサー				
8	正味電力	エアーブロー機のエアー時間を下げる	コンプレッサー				
9	正味電力	エアーブロー機のエアー量を下げる	コンプレッサー				
10	正味電力	パルスブロー等の省エネノズルでエアー使用量を減らす	コンプレッサー				
11	正味電力	ブロアーを利用したエアーブローに変更	コンプレッサー				
12	正味電力	エアーガンにスピードコントローラーを取付けて流量を下げる	コンプレッサー				
13	正味電力	エアーガンにレギュレータを取付けて流量を下げる	コンプレッサー				
14	正味電力	からくりで製品の重さを利用して転がしたり落としたり払い出す	コンプレッサー・モーター				
15	正味電力	切削部分にかけるクーラントポンプの流量を下げる	クーラントポンプ				
16	正味電力	切粉流し用のクーラントポンプの流量を下げる	クーラントポンプ				
17	正味電力	油圧ユニットの設定圧を下げる	ポンプ				
18	正味電力	揚水ポンプの圧力を下げる	ポンプ				
19	待機電力	休憩時間・生産終了後に電源BOXをOFFにする	設備全体				
20	待機電力	休憩時間に非常停止ボタンを押す	設備全体				
21	待機電力	作業終了後にエアーストップバルブを止める	コンプレッサー				
22	待機電力	休憩時間にクーラントを切る	クーラントポンプ				
23	待機電力	スポットクーラー・扇風機の必要のない時間は停止させる	モーター				
24	待機電力	ボイラーの必要のない時間は停止させる	ヒーター				
25	待機電力	給湯器の必要のない時間は停止させる	ヒーター				
26	停止電力	洗浄タンクに仕切りを入れて容量を減らして早く温める	ヒーター				
27	正味/待機電力	洗浄機の最低保証温度に設定する	ヒーター				
28	正味/停止電力	配管の径を最適にする	コンプレッサー・ポンプ				
29	正味/停止電力	配管の長さを最適にする	コンプレッサー・ポンプ				
30	正味/停止電力	ポンプの回転数を下げる	ポンプ				
31	正味/停止電力	ファンの回転数を下げる	モーター				
32	正味/停止電力	給湯温度を下げる	ヒーター				
33	正味/停止電力	蛍光灯をLEDに変更する	照明機器				
34	正味/停止電力	照明の配置を変更して数を減らす	照明機器				
		第3着眼点【エンジニアリング部に協力してもらう】					
35	全電力	コンプレッサーを低負荷の複数運転から高負荷にして運転台数を減らす	コンプレッサー				
36	全電力	ボイラーを低負荷の複数運転から高負荷にして運転台数を減らす	ヒーター				
37	全電力	給湯器を低負荷の複数運転から高負荷にして運転台数を減らす	ヒーター				
38	正味電力	シリンダ径を小さくする	コンプレッサー				
39	正味電力	クーラントの排出時間を短縮	ポンプ				
40	停止電力	洗浄機のタンクを断熱材で保温してヒーターの保温時間短縮	ヒーター				
41	正味/停止電力	コンプレッサーをインバーター制御にする	コンプレッサー				
42	正味/停止電力	高効率なタイプのクーラントポンプにする	クーラントポンプ				
43	正味/停止電力	ポンプの容量を小さくする	ポンプ				
44	正味/停止電力	油圧ユニットをインバーター制御付きにする	ポンプ				
45	正味/停止電力	コンベア（チップ・スパイラル）にタイマーを設定して回転を止める	モーター				
46	正味/停止電力	ペーパーラップにタイマーを設定して回転を止める	モーター				
47	正味/停止電力	グラインダーにタイマーを設定して回転を止める	モーター				
48	正味/停止電力	洗浄機の温度を瞬時に上げる	ヒーター				
49	正味/停止電力	蛍光灯を人感センサーに変更	照明機器				

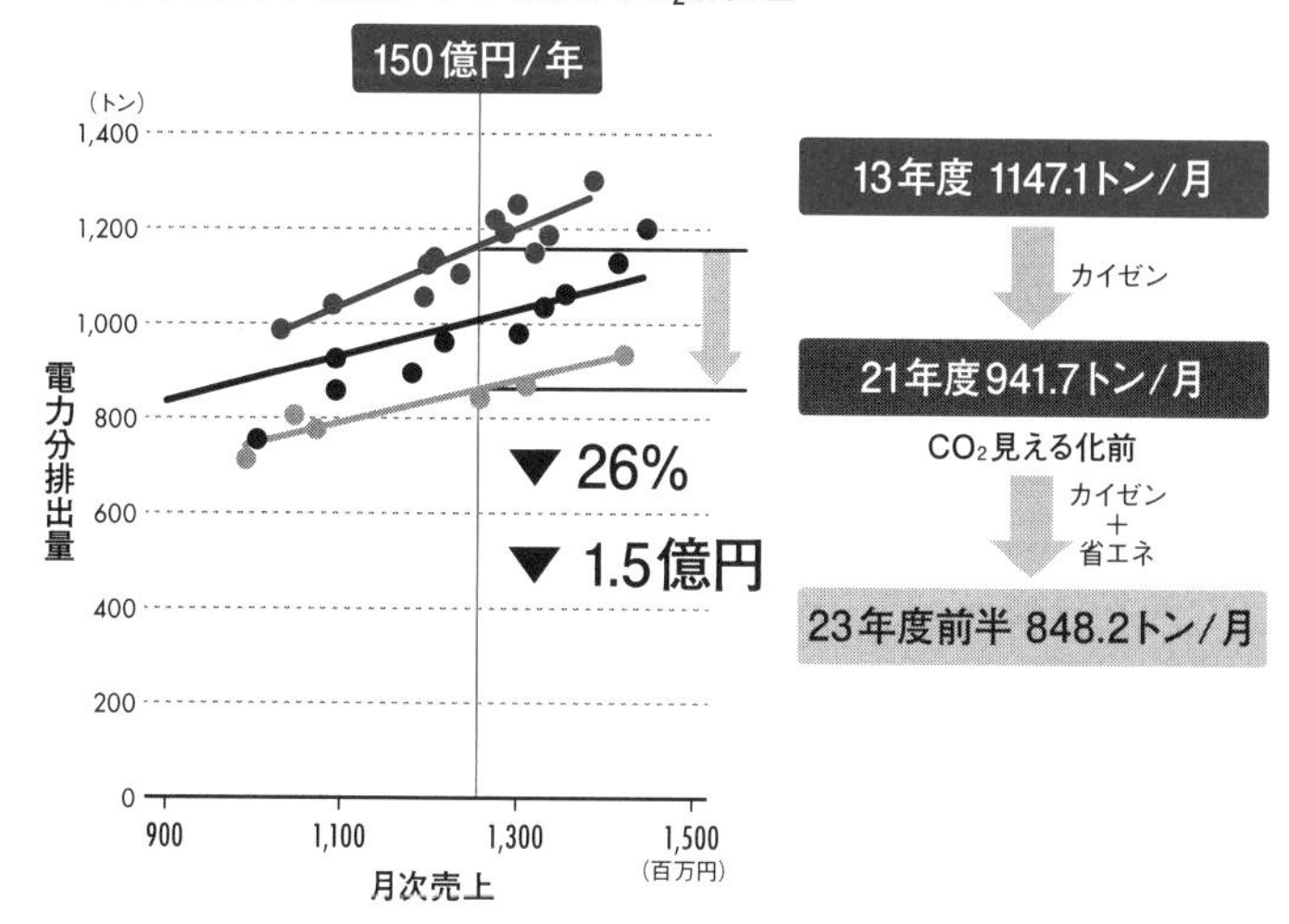

カイゼンによりCO_2排出量はどれだけ削減できたか

このように、電気使用量の数値ではなく問題を見える化することで、大きな効果があがるようになりました。図は、月次の営業売上と、電力分のCO_2排出量の散布図です。低減量を数値で比較するために、売上1250［百万円］（年間150億円）での近似線の値を取りました。

2013年度1147・1トンが2021年度941・7トンまで▼18％下がったのは従来のカイゼン活動による効果です。2021年9月以降はムダなCO_2排出量見える化による省エネの効果が加わりました。2023年度は2013年比で▼26％まで到達しています。年間の電気料金は約6億円ですから、1・5億円もの効果があったことになります。年間の売上が150億円ですから、営業利益率で1ポイントの上乗せになります。

こういう大きな効果は、「ムダな電気使用量を見える化して、現場の力を引き出した」から得られたものです。「見える化すべきは数値ではなく問題」という旭鉄工の考え方の有効性がここでも証明された形です。

データを使ったカーボンニュートラル推進の6つのステップ

ここまでご紹介したステップをまとめると次のようになります。

①稼働状況のデータと電気使用量データからムダな電力を見える化する
②設備ごとに調査しできる範囲で電源を切る
③待機電力そのものを下げる
④停止電力を下げる

⑤正味電力を下げる
⑥削減アイテムを共有し展開する

この6つのステップは、特段難しいものではありません。電気料金の節約という形で直接的な効果を得ることができます。さらに、「データを使った省エネ活動」により、「デジタルで問題を発見し、現地現物で対策をおこない、その効果をデジタルで確認して、次のアクションにつなげる」ことに慣れれば、次は生産性（労務費）のカイゼンも実行できるようになります。会社の利益体質の強化の入口として挑戦することを強くお勧めします。

column　旭鉄工でおこなっているCO_2排出量の見える化

前述のとおり、旭鉄工のCO_2排出量低減の目玉になっているのは「ムダな消費量」の見える化です。しかしながら、次の3つについては、数値としても把握をしています。

【種類・目的】

①全体の排出量　総量管理

②エリア別排出量　工場マネジメント

③大物設備（エアコンプレッサー）による排出量　設備マネジメント

それぞれについて述べます。

①全体の排出量

まず2021年9月に、外部から購入している電力および天然ガスの全体の使用量を測定することから始めました。会社の外から供給されている大元のメーターから電力およびガスの消費量データを引っ張り出して、iXacsシステム上で統合、稼働とあわせてデータを見える化しました。本社工場の電力と西尾工場の電力とガス、合計3か所の測定により、自社排出量の95％をカバーできています。総量管理に使用しています。

②エリア別排出量

全体のCO_2排出量を見える化したあとは、エリア（建屋）別の排出量を把握しました。電力で言えば、外部から来た電力が分配される分電盤からデータを引っ張り出して見える化しました。これにより、各エリアごとのエネルギー消費低減活動に使用しています。

③大物設備（エアコンプレッサー）による排出量

旭鉄工では、設備1台1台すべての電気使用量は実測せず、稼働状況に基づいた計算により製造ラインごとの排出量を把握しています。しかしながら、エアコンプレッサーは、次の理由で1台ごとに電気使用量を実測し、排出量を把握しています。

- 複数の製造ラインの稼働状況によって動作が変わり、計算による推定が困難

●単体での電気使用量が大きい

現在、コンプレッサーの電気使用量のムダを見える化する技術を開発中です。

CO_2排出量を把握するにあたり、時間単位を細かくするのがポイントです。生産性向上のカイゼン活動でも1日単位の数値では問題が見えず単なる記録にしかなりません。時間単位を細かくすると問題が見えやすくなります。iXacsでは①②③すべてがリアルタイムで集計され、月ごと、日ごと、1時間ごと、10分ごとのデータがグラフで表示されます。

図は西尾工場の①②③の1か月分のCO_2排出量の総量を示すグラフです。月、日、時間ごとの変動については縦棒グラフおよび折れ線グラフにより表されます。

西尾工場の①②③の1か月分のCO_2排出量の総量

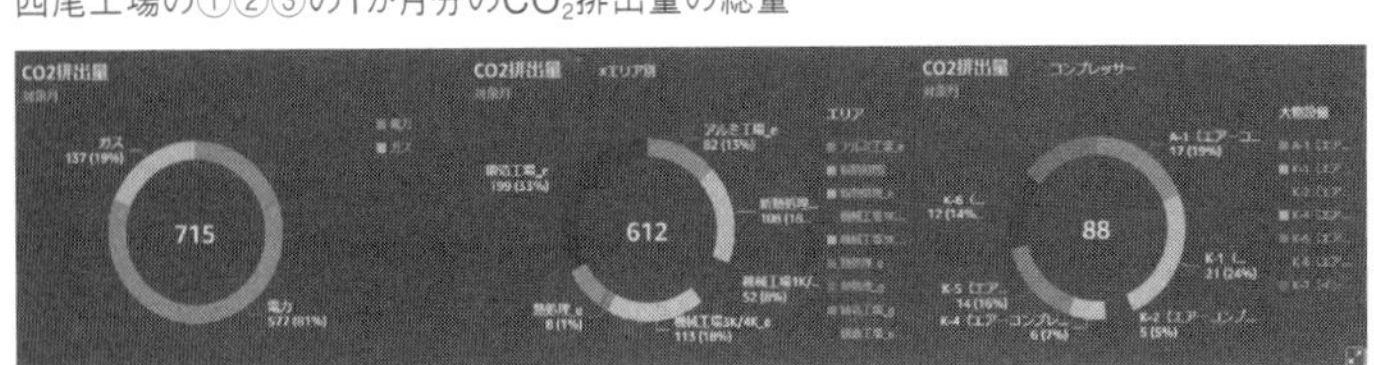

第8章

自社のツールとノウハウの外販

両利きの経営というものがあります。提唱者のチャールズ・オライリー教授によると、「主力事業の絶え間ない改善」と「新規事業に向けた実験と行動」を両立させることにより、新しいサービスが次々と生み出される時代でも生き残っていくことができるというものです。

旭鉄工の場合も、自動車部品製造業で利益を確保しつつ、付加価値を拡大するために新商品・サービスによる需要創出が必要です。そこで、当初は本業の利益体質強化に集中し、社内での成功事例が積み上がるにつれ、それを外販しようと考えるようになりました。本章では、旭鉄工で培われたノウハウを他社に展開するi Smart TechnologiesのDXサービスについて、一般化した視点を追加しながら構築する過程の考え方およびサービス内容についてお話しします。

DXサービスをつくる

既存の現場とリソースを活かして新しい付加価値を生み出す

「国内の自動車部品製造業は斜陽産業だ。これまで何も手を打ってきていない旭鉄工は取り残されている。本業がつぶれる前に、別の事業に軸足を移す必要がある」

旭鉄工に転籍して間もなく私はそう考えました。当初は、高齢化社会を見据えて介護業界への進出についても考えたこともあります。しかし、「1つの領域だけで勝負しても、ライバルが多く上位に行くのは難しい。2つか、できれば3つ新しいものを掛け合わせないと勝負にならない」と常々思っています。経験もアイデアもないのに、まったく異なる分野でほかのプレイヤーも存在する介護業界に挑戦するのは、1つの領域だけで参入することにほかならず、難しいと考えました。

そうした中で、ＩｏＴを活用したカイゼンが大きな成果を出すようになり、旭鉄工で実績のあるＩｏＴサービスを外販するのが新規事業として適切だと考えるようになりました。自社で効果を実証したものを販売することでサービスを現実の環境で鍛えることができますし、製造業とＩＴという別の領域とのかけ合わせにもなるのでライバルも少ない。実際、サービス提供開始から6年近く経ちますが、ＩｏＴツールから活用ノウハウまで提供するという点でライバルは現れていません。

新規事業の立ち上げにあたって有利だったのは、旭鉄工のリソースと現場を使えることです。ＩＴのスタートアップが製造業の生産性向上に役立つデジタルツールを作ろうとしても、現場の理解が不十分なまま開発することになりますし、開発したサービスを検証する場がないため、実証実験に協力してくれる企業を開拓するところから始める必要があります。その点、我々は旭鉄工のカイゼンノウハウ、大量の事例、製造設備、育成された人材などのリソースを活用し、製造現場を巨大な実験場として、現場のニーズに基いたツールを開発することができます。

２０１6年9月に旭鉄工とは別会社としてｉ Ｓｍａｒｔ Ｔｅｃｈｎｏｌｏｇｉｅｓを立ち上げ、他社にＩｏＴシステムとその活用ノウハウを提供し始めました。創造した価値を自社に留めず展開する、DXのサービス化ともいえるでしょう。

DXサービス構築の留意点

DXのサービス化にあたって考えたポイントは3つあります。

①ビジネスへの貢献から考える

「こういうことができます」という技術起点のサービスの提案を受けることが多いのですが、効果が限定的かつ汎用性に欠け、儲かるように見えません。ビジネスに貢献できる（＝儲かる）サービスを構築する必要があります。

そのためには「ペインポイントを見つける」ことです。iXacsの場合は、「カイゼンをおこなうために必要なデータ収集や分析をするのが大変」ということがペインポイントでした。ムダなCO_2排出量の見える化は「自社のCO_2排出量だけが見えてもどこが悪いかわからない」がペインポイントでした。

社内でペインポイントを見つけることができれば、サービスの開発とブラッシュアップも自社で素早くできます。旭鉄工では、自社のカイゼン活動の必要性から・iＸａｃｓが生まれ、現場で鍛えられ、そこから派生したサービスの開発につながっています。

②完璧なものを作ろうと思わない

自社内とお客様向けの要求レベルは異なります。ｉＸａｃｓへの新機能追加時はまず旭鉄工社内で問題出しをおこなっていますが、お客様での予想外のトラブルはゼロにはできません。しかし、問題にすばやく対応していれば、クレームを出してくださるお客様は意外とサービスの利用を止めません。

また、「完璧なものを作ろうと思わない」という言葉には、とりあえず使ってもらってブラッシュアップしようというだけではなく、永遠に完成させないという意味もあります。ｉＸａｃｓは毎月のようにバージョンアップや機能追加をおこないます。それは、世の中の流れやニーズをくみ取りどんどん実装しているからです。他社が追従しにくい独自の特長を持つサービスを提供するために、さらなるペインポイントを見つけて発展させていく必要があります。

③他社のソリューションと組み合わせる

現代には、多くのサービスやソリューションが存在します。世の中にあるもののレベルに到達するには、時間とお金がかかります。たとえば、弊社と同じように稼働状況を取るパターンのＰｏＣ（Proof Of Concept：概念実証）もよくありますが、弊社の２０１４年初頭のレベルです。そこからすでに9年先行しているのに、あとから同じことをやっても追いつけません。自社で構築するサービスには、別の切り口やアイデアによる差別化が必要です。

「アイデアとは既存のものの新しい組み合わせである」とされます。世の中にあるサービスを単純に自社開発しなくても、既存の物の新しい使い方を考えることで新たな価値を提供できます。そもそも、ｉＸａｃｓはＴＰＳとＩｏＴの組み合わせです。ＡｍａｚｏｎのＡＩスピーカーと製造現場の組み合わせにより、「作業者がｉＸａｃｓを声で操作する」という新たな価値も提供しています。この取り組みはＮＨＫでも取り上げられるなど社外での宣伝効果もありました。最近では、ＣｈａｔＧＰＴのカイゼンでの活用にトライし、同じくＮＨＫで報道されました。

このように、ｉＸａｃｓを中心に、ＡＷＳ（ＡＩスピーカー、ダッシュボード、機械学習)、Ｓｌａｃｋ(社内外コミュニケーション、通知機能)、ＡＩカメラと連携することで、コストを抑えて迅速な実装が可能となり、他社のリソースを活用して広告宣伝をおこなう機会も増えました。サービスを自社開発することを目的とせず、効果的な組み合わせによる優れたサービス構築を目指します。

カイゼンをKaaSとしてサービス化

問題を直さないと意味がない

カイゼンにあたって問題の見える化はまず必要ですが、問題を直さないと意味がありません。iXacsを活用し問題解決につなげるにあたり、お客様からよくお聞きする困りごとは次の3つです。

①データの見方がわからない
②問題を直すノウハウがない
③経営陣の関与がない

これらを解決するために構築したサービスが、KaaS（Kaizen as a Service＝カーズ）です。ＫａａＳは、おもに３つのサービスから構成されます。

①ＩｏＴモニタリングサービスｉＸａｃｓ
②伴走支援
③ＩｏＴ改善塾

①IoTモニタリングサービスiXacs

前述のとおり、ＩｏＴ技術によって製造ラインの問題点を見える化するものです。稼働状況の問題点はもちろん、CO_2排出量、生み出している付加価値額やロス金額なども見える化します。旭鉄工で大きな効果をあげた実績があり、常時バグ修正や機能追加もおこなわれた最新バージョンをお客様にそのままお使いいただけるのもクラウドならではのメリットと言えるでしょう。

適用できる製造ラインの範囲が大きいのも特長です。旭鉄工だけでも鍛造、ダイキャスト、機械加工、組付け、樹脂成型、検査など幅広い工程を保有していますし、これまで軽く200社を超すお客様の中で自動車部品製造業は10%強に過ぎず、窯業、製薬、木材、食品など多岐にわたる業種のお客様がいらっしゃいます。

iXacsは、製造ラインの設備に後付けしたセンサーのデータを送信機から受信機に無線で飛ばし、受信機からVPN回線でクラウドに上げ、クラウド上で分析した情報をPCやタブレットやスマホのブラウザで閲覧できるようにします。この中でお客様にご用意いただくものは、データ閲覧用の端末と、それらをインターネットにつなぐWi-Fi回線、休憩時間などを示す工場の時間割、製造ライン名、品番、品名などの情報だけです。クラウドの準備・設定は、iSmart Technologiesがおこないます。

iXacsは導入リードタイムが非常に短いのも特長です。まずは製造ラインのどこにどのセンサーを取り付けるかが重要ですが、経験豊富な弊社メンバーとのWeb打ち合わせにより適切な方法を選ぶことができます。そのうえでお客様の工場を訪問すれば即日取り付けし稼働状況の見える化が可能です。CO_2関係の見える化については稼働状況の見える化後になりますが、短いリードタイムでお使いいただけます。

column

iXacsのコストパフォーマンスを計算すると

諸条件で変わりますが、iXacsの月額使用料金は1ラインあたり3万円前後です。

労務費削減効果については第3章でも述べたように、カイゼンで25%生産性を向上し1日2時間の残業を低減すれば1日1万円、月に20万円の労務費削減になります。そこまでは行かなくても月6時間の残業削減をおこなえば費用が回収できます。

電気料金については、旭鉄工の電気料金は年6億円、量産している製造ラインでは1ラインあたり月約20万円平均です。つまり15%低減すれば費用が回収できます。これまでの我々のユーザーの実績で考えても難しいレベルではありません。

また、カイゼンに必要なデータの収集・グラフ化などを人手でおこなうのは高コストです。たとえばCTの平均を出すために2時間程度現場に立ってストップウォッチで測定して上に記録し、PCを開いてExcelに入力するなどということになり、4時間かかれば労務費コストは2万円。しかもピンポイントのデータでしかありませんし精度も悪い。クリックだけで正確なCTヒストグラムが出てくるｉＸａｃｓとは雲泥の差です。このカイゼンに必要な労務費の低減効果は意外と認識されていません。

②伴走支援

ｉＸａｃｓの設定・操作方法をお客様が最短で習得できるサービスです。旭鉄工のカイゼン活動で鍛え上げられたｉＸａｃｓは、製造現場で使いやすいよう工夫が凝らされています。しかし、時間割、設定サイクルタイム、品番、品名など、使い始めるまでに多くの設定項目がありますし、高機能なだけに使いこなすのに時間がかかるのは否めません。また、現場の環境や制約に合ったセンシングや設定でないと、問題が隠れることがあります。現場にあわせて各種設定やデータの見方などをサポートすることで、使い方を早期にマスターし、隠れた問題を見える化することでより早くカイゼン効果を出していただけるようお手伝いいたします。

カイゼン活動がうまくいかない理由としてよく挙がるのが「製造現場の抵抗」です。現場はラインを止めることや作業の変更を極度に嫌いますし、データ収集や分析に時間をかけたくないとの想いもあり活動が進まないケースが多いです。

そういった問題の解決のために伴走支援サービスを提供しています。最初の3か月間、我々がお客様の稼働データを用いて月次レポートを作成し、問題点などをお客様にご説明します。我々のコンサルタントは自分自身がものづくり現場でのカイゼン経験が豊富ですから、「現場の気持ちを理解し、現場の抵抗を解決」するノウハウもあります。たとえば、稼働状況を見るタブレットの置き方1つとってもそうです。我々が決めるのではなく、あくまでお客様の現場に決めてもらう。そうすると、カイゼンがお客様の現場にとって自分ごととなります。細かいけれど、大事なことです。こういったノウハウによりカイゼンが円滑に進むようになります。

③IoT改善塾（旭鉄工流カイゼン活動の実践）

旭鉄工のカイゼン活動のノウハウを最短3か月で習得できるのがこのIoT改善塾です。お客様の製造現場でモデルラインを選定しカイゼン活動をおこないます。目標の立て方、スケジュール立案から、実際のカイゼンや報告会の実施まで、仕組みづくりと人材育成を中心にトータルでアドバイスいたします。

ただし、あくまでカイゼンの主体はお客様です。自分たちの課題を自分たちで認識し、自分たちで出したアイデアを現場に適用して、生産性を向上させる必要があります。そうでないと一過性のもので終わってしまいます。

この改善塾での成果を大きく左右する要素が、「経営陣の参画」です。現場と一緒になって自分ごととしてカイゼン案を考えることで、経営層から現場まで一体感を持って取り組むことが可能になります。さらに、会社の仕組みとしてカイゼン活動を組み込んでほしいのです。そこが経営陣の仕事です。

なお、この改善塾はＷｅｂを活用し、遠隔で定期的にフォロー会をおこないます。最初だけは必ず現場に行く必要がありますが、以降はお客様のデータを見ながら必要に応じて動画のやりとりをするなどの工夫により、現地に赴く回数を減らします。そうしてお客様の費用負担を抑えつつ、わずか3ヶ月＝2時間×6回（訪問3回、Ｗｅｂ3回）と短期間で集中的にカイゼン力を養成します。お客様の稼働データがリアルタイムで遠隔で見え、その解釈のノウハウのあるｉ Ｓｍａｒｔ Ｔｅｃｈｎｏｌｏｇｉｅｓだからこそできるサービスです。

column iSmart Technologiesのその他のサービス

我々のミッションは「旭鉄工のカイゼンによる競争力向上を他社でも実現してもらう」ことです。そのため、次のようなサービスを用意してあります。iXacsの契約がなくてもご利用いただけます。

工場見学

旭鉄工流のカイゼン活動のやり方を現場でご紹介するサービスです。「こういう部品を、こういう工程で作ってます」という普通の見学とはまったく異なります。IoTシステムiXacsの機能、データの取得方法、カイゼンの進め方、効果の出るマネジメントなどをご覧いただけます。

現場で報告するのはカイゼンを実際に実施している従業員のみなさんです。

「本当にIoTを活用してるのがよくわかった」

「現場の説明をしてくれる従業員の方が楽しそうにしているのが印象的だった」

といったご感想を参加者の方からよくいただきます。

Kaizenファクトリーツアー

工場見学に加えて、「横展卒業式」に参加し、カイゼン報告および私のコメントなどを傍聴できるサービスです。その日の報告内容は私も知らされないので、ヤラセはありません。現場で報告するのはそこで実際にカイゼンを実施している従業員で、工夫してわかりやすく面白い報告をしてくれます。すべて本物の活動であり、ノウハウの塊です。担当者が社長に自ら報告をして、そこでしっかりほめられることで、次のカイゼン活動のモチベーションアップにつながる──終わりなきカイゼン活動を継続する秘訣はここにあります。

現場と私のスケジュールの都合で開催タイミングが決まるので、工場見学ほど開催日程の自由度がなく、お客様にとっては貴重な機会となっております。

見学終了後にはQ＆Aがあります。セミナーよりも質問しやすいのと現場を見てイメージがより具体的になるおかげか、毎回けっこう盛り上がります。さらに、お客様の工場の課題についての個別相談会も実施しています。

なお、工場見学とＫａｉｚｅｎファクトリーツアーは有料で１人３万３０００円ですが、それだけの価値があると自負しております。コロナ前に比べてインバウンドが減ったとはいえ、２０２２年９月〜２０２３年８月の１年間で３００名以上にお越しいただきました。

体験道場

ＩｏＴを活用する旭鉄工流カイゼンで容易に生産性を向上できることを体験していただくのを目的としたサービスです。現代版のＩｏＴの寺子屋をイメージしたところから名付けた、ｉ・ＴＥＲＡＫＯという「ハンコ捺しマシーン」を使用します。旭鉄工の設備に使用する部品で作っています。

工場見学

エネルギー源も実際の電気とエアーで、1台100万円ほどします。

まずはストップウォッチを用いてこのマシーンのCTを手動で測定し、データを収集することの大変さを体感します。次に、このキットにセンサーを取り付けて、IoTによる測定がいかに楽で正確であるか、威力を実感します。そして、そのデータで問題点を発見、カイゼンし、その効果もIoTデータで確認することで、旭鉄工流カイゼンで容易に生産性を向上できることを体験できます。

実際に現場で使う設備を模擬したi.TERAKOで旭鉄工流カイゼンを体験する

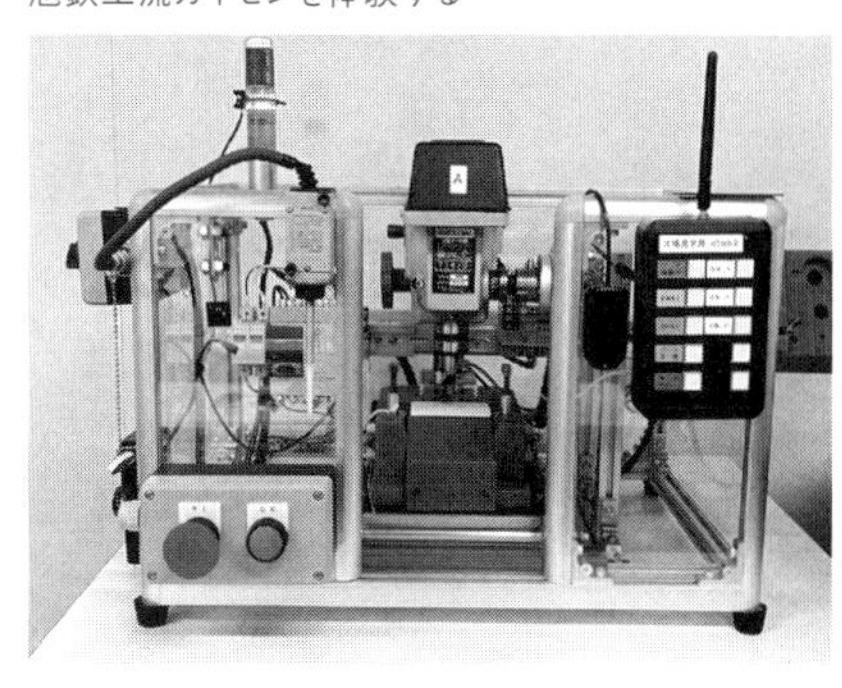

カイゼン強化合宿

旭鉄工に1か月泊まり込みでカイゼンのやり方を実習することで、短期間でカイゼン人材を育成するサービスです。TPSの基礎知識を弊社オリジナルの教材にて学び、カイゼンの目標設定からデータ分析、経営陣への報告までを旭鉄工の製造ラインで実際に体験していただきます。カイゼン経験の豊富な講師が問題点の見つけ方やカイゼンの進め方を伝授するので、教育終了後すぐにお客様の製造現場でカイゼンに取り組むことができます。

現場から経営層まで、さまざまな対象とニーズに合わせた講演会

DXを成功させるにはデジタルツールの導入のみではなく、製造現場から経営者までが会社の仕組みや風土を変えることを恐れず挑戦する必要があります。一方で、カイゼン現場での細やかなノウハウは私も理解しきれていませんし、現場のカイゼンメンバーに経営的ノウハウがあるわけではなく、得意不得意がありま す。その経験を活かし、経営者向け、管理者向け、現場のカイゼン担当者向けなど、対象者とニーズに合わせて社内教育や社外向け講演をおこなうことができます。

第9章

さらなる付加価値の追求と創造

これまで旭鉄工では「付加価値ファースト」という考えに基づき、自社開発ＩｏＴを起点として働き方や会社の仕組みを変えて利益体質を強化、さらにはそのシステムとノウハウを外販するｉ Ｓｍａｒｔ Ｔｅｃｈｎｏｌｏｇｉｅｓを立ち上げるというＤＸを実行してきました。本章では、ｉＸａｃｓを活用した新たな付加価値の追求や創造のための新たなＤＸについて述べます。

経営指標から社会インフラへと広がるIoTデータの可能性

製造業のデータ活用といえば、生産性向上（効率化やコスト削減）、品質向上、顧客満足度向上といった用途が一般的な認識でしょう。iXacsもおもな目的はカイゼンで生産性を向上させることです。しかし、前述のとおりiXacsの各工程・各製品ごとに付加価値額を入れることで、製造現場の生産個数のデータを付加価値額という金額に変換することができます。

国の経済力の目安として、一定期間内に国内で新たに生み出されたモノやサービスの付加価値を意味するGDP（国内総生産）という経済指標が使われています。ということは、IoTデータから計算される製造の付加価値額はGDPの一部であり、現場のツールの範疇を超えて経営ツールであったり、その上のサプライチェーンマネジメントのツールであったり、さらにその上の社会インフラとして活用できる可能性があるはずです。

IoTデータから計算される指標と実際の経営指標数値の相関

旭鉄工のiXacsのデータから計算される経営指標と、経理の金額との関係を確認しました。期間は2022年1月から12月までの1年分で、月ごとのデータを比較しています。相関が強いものを記します。

①iXacs総付加価値額ー営業売上もしくは加工高

iXacsで得られる総付加価値額とは、各工程で付与される付加価値額の総額＝売上－材料費－購入部品費です。旭鉄工では「加工高」と呼んでいます。iXacsの総付加価値額と近い値になるはずです。

iXacsで得られた旭鉄工の総付加価値額を横軸、経理の営業売上および加工高を縦軸に取ると、関係は図のようになります。経理の金額はお客様への販売実績のあるも

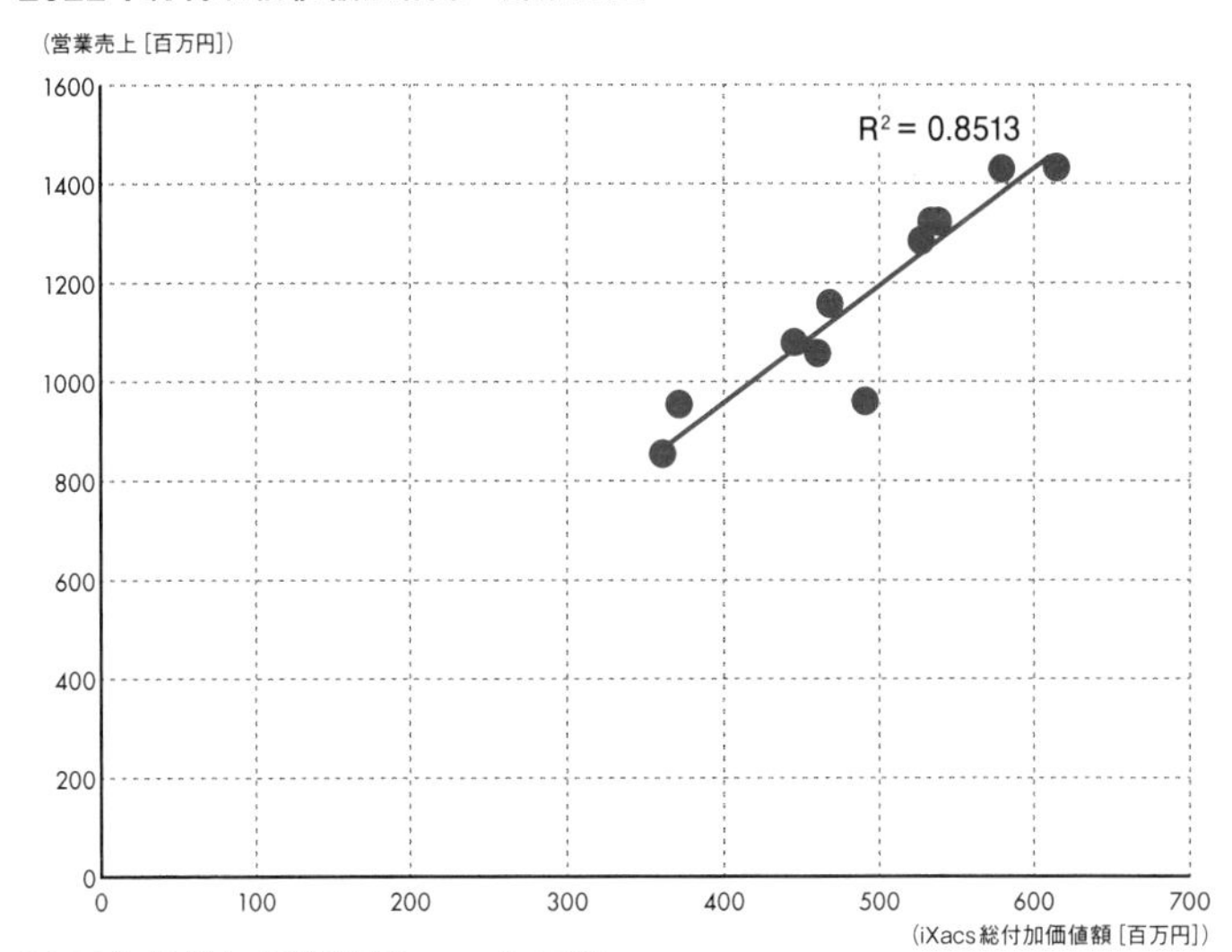
2022年総付加価値額iXacs－営業売上
（営業売上［百万円］）
1600
1400
1200
1000
800
600
400
200
0
R^2 = 0.8513
0
100
200
300
400
500
600
700
（iXacs総付加価値額［百万円］）

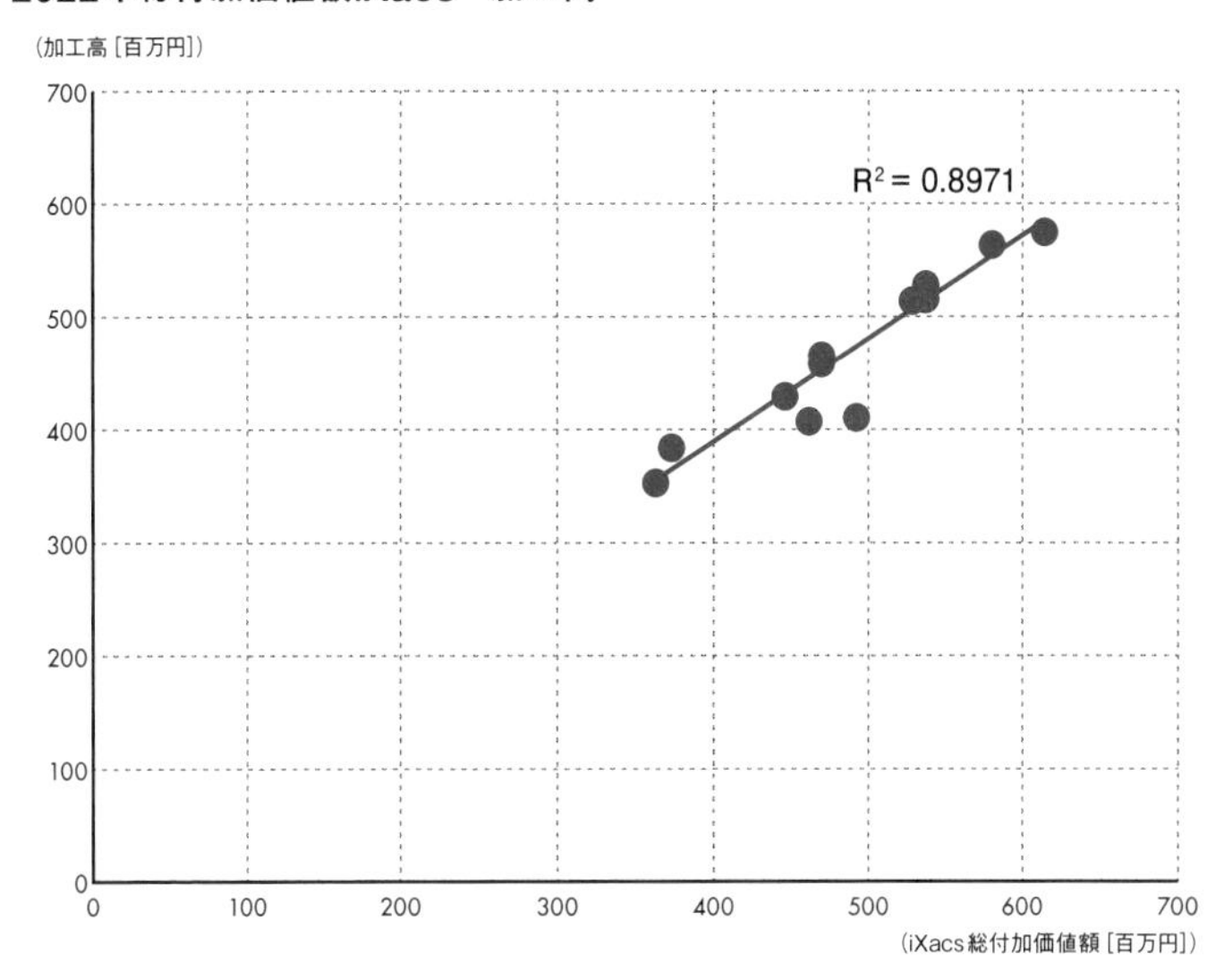
2022年総付加価値額iXacs－加工高
（加工高［百万円］）
700
600
500
400
300
200
100
0
R^2 = 0.8971
0
100
200
300
400
500
600
700
（iXacs総付加価値額［百万円］）

のについて集計されており、一部は在庫になったり逆に在庫を吐き出したりもするので必ずしも生産された製品がその月に出荷されるわけではありませんが、まずまず相関が取れていると言えます。

②i Xacs稼働時間―直接工工数もしくは労務費

旭鉄工のｉＸａｃｓで得られた各製造ラインの稼働時間の合計を横軸、製造ラインで製造に従事する直接工の工数もしくは労務費を縦軸に取ると、関係は図のようになります。ここでいう稼働時間では各ラインで働く人数は考慮されていないので、無人の製造ラインと有人の製造ラインでは稼働時間の労務費への寄与度が異なりますが、まずまずの相関と言えるでしょう。

③i Xacs電力消費量―実CO_2排出量

ｉＸａｃｓは、電力のスマートメーターおよびガスの流量計から直接データを拾うことができます。旭鉄工西尾工場の電力とガス両方について、ｉＸａｃｓで得られたデー

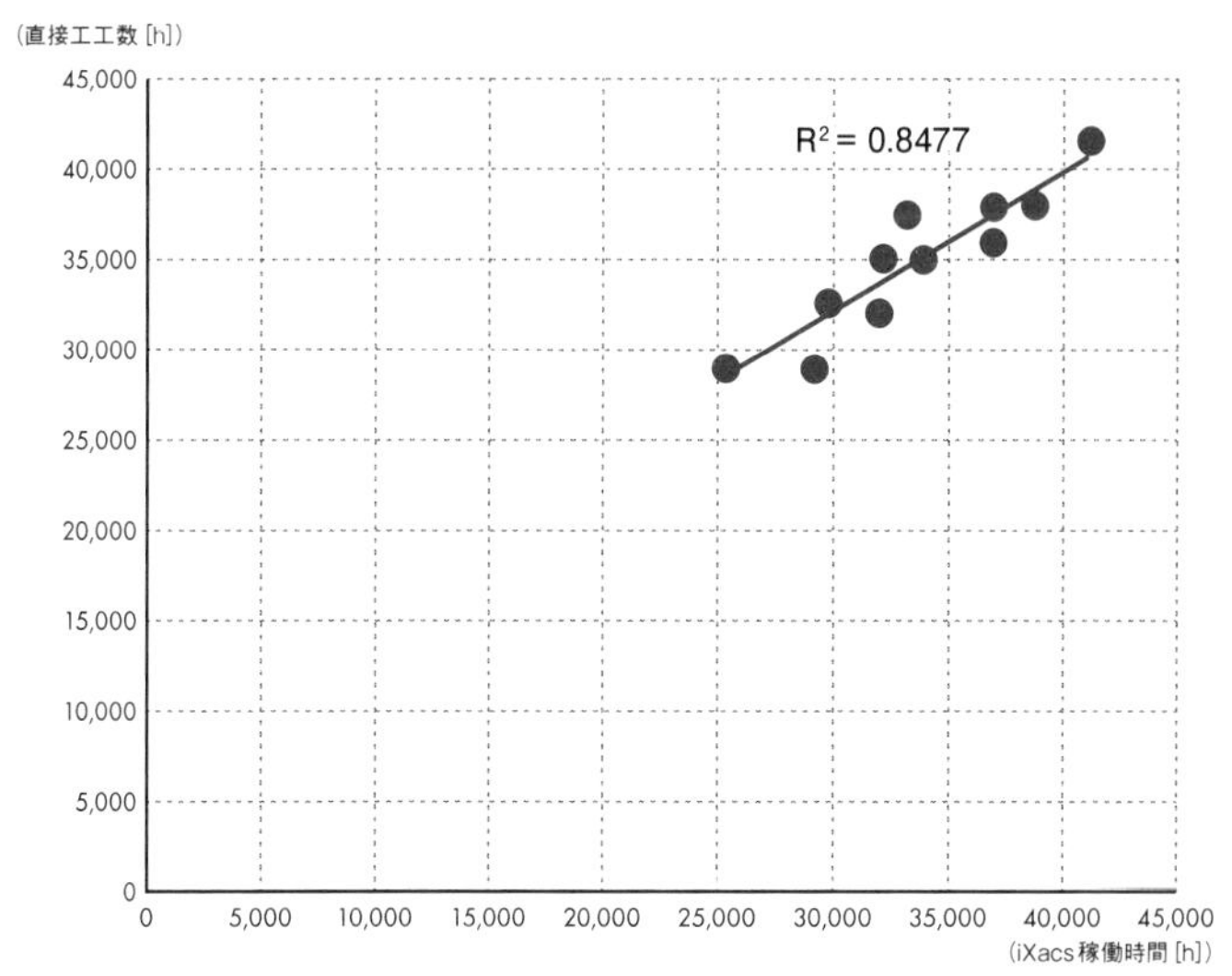
iXacs稼働時間－工数
（直接工工数［h］）
45,000
40,000
35,000
30,000
25,000
20,000
15,000
10,000
5,000
0
R^2 = 0.8477
0
5,000
10,000
15,000
20,000
25,000
30,000
35,000
40,000
45,000
（iXacs稼働時間［h］）

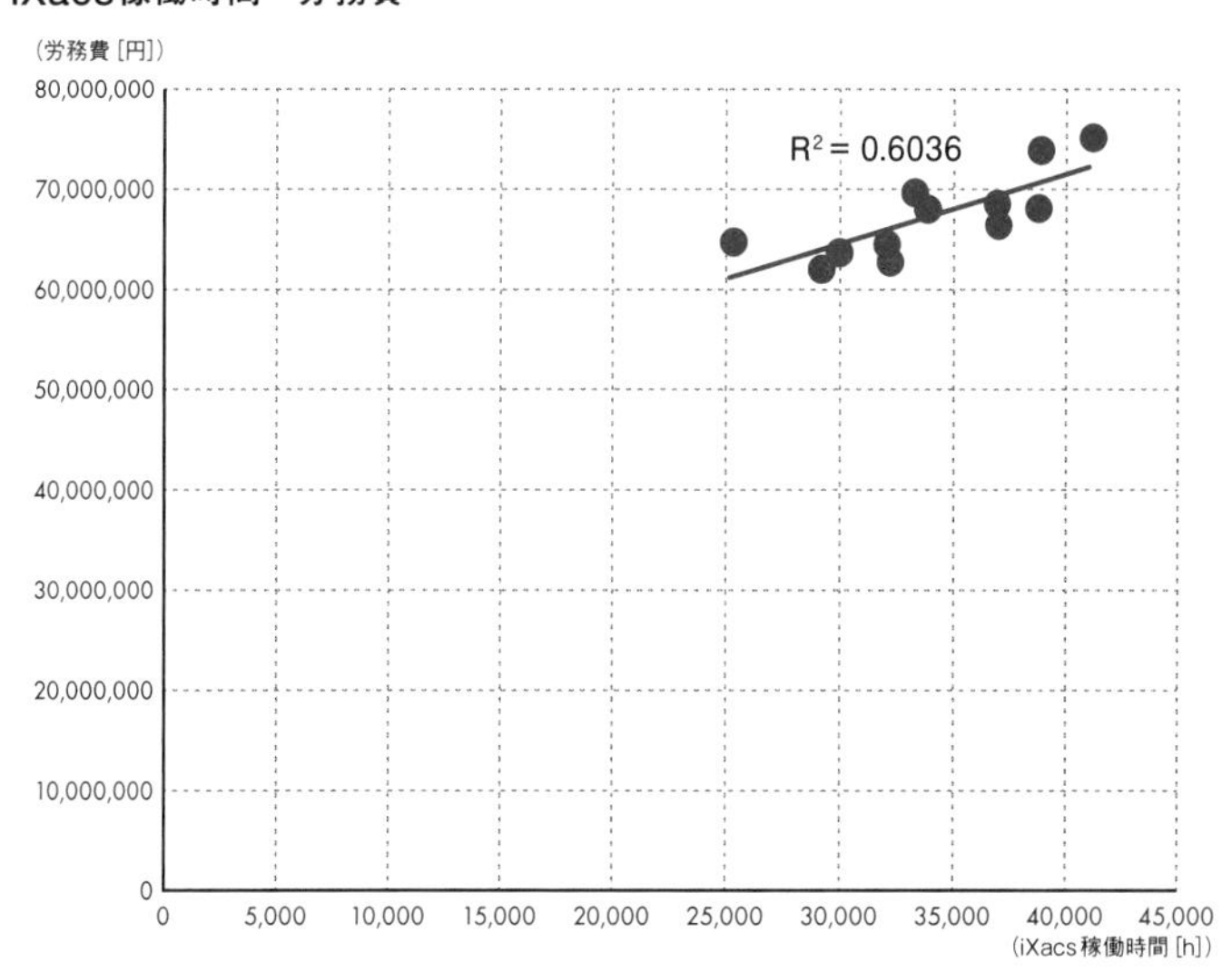
iXacs稼働時間－労務費
（労務費［円］）
80,000,000
70,000,000
60,000,000
50,000,000
40,000,000
30,000,000
20,000,000
10,000,000
0
R^2 = 0.6036
0
5,000
10,000
15,000
20,000
25,000
30,000
35,000
40,000
45,000
（iXacs稼働時間［h］）

タから計算したCO$_2$排出量を横軸、請求書ベースの電力およびガス消費量から計算した実CO$_2$排出量に取ると、よく相関します。つまり、社内でも離れた工場や社外のサプライヤーなどについても、高い精度でCO$_2$排出量を遠隔でリアルタイムモニタリング可能と言えます。

④iXacsCO$_2$排出量─営業売上および加工高

iXacsデータから計算した旭鉄工全体の電力およびガス分のCO$_2$排出量の合計を横軸、経理の営業売上を縦軸に取ると、関係は図のようになります。稼働状況と関係の薄い間接部門や、季節性のあるエアコンなどのバラつき要因がありますが、まずまず相関が高いと言えるでしょう。CO$_2$排出量は企業活動そのものを表す指標である、と言えます。

つまり、過去の月次決算のデータで事前に計算しておけば、生産個数などのデータがなくても電力・ガス消費量のデータからだいたいの営業売上および加工高（＝付加価値額）が推定できることになります。これを個別の企業活動から複数の企業活動に拡張することでGDPが推定できる可能性もあります。

iXacsCO_2排出量－実CO_2排出量（西尾電力分）

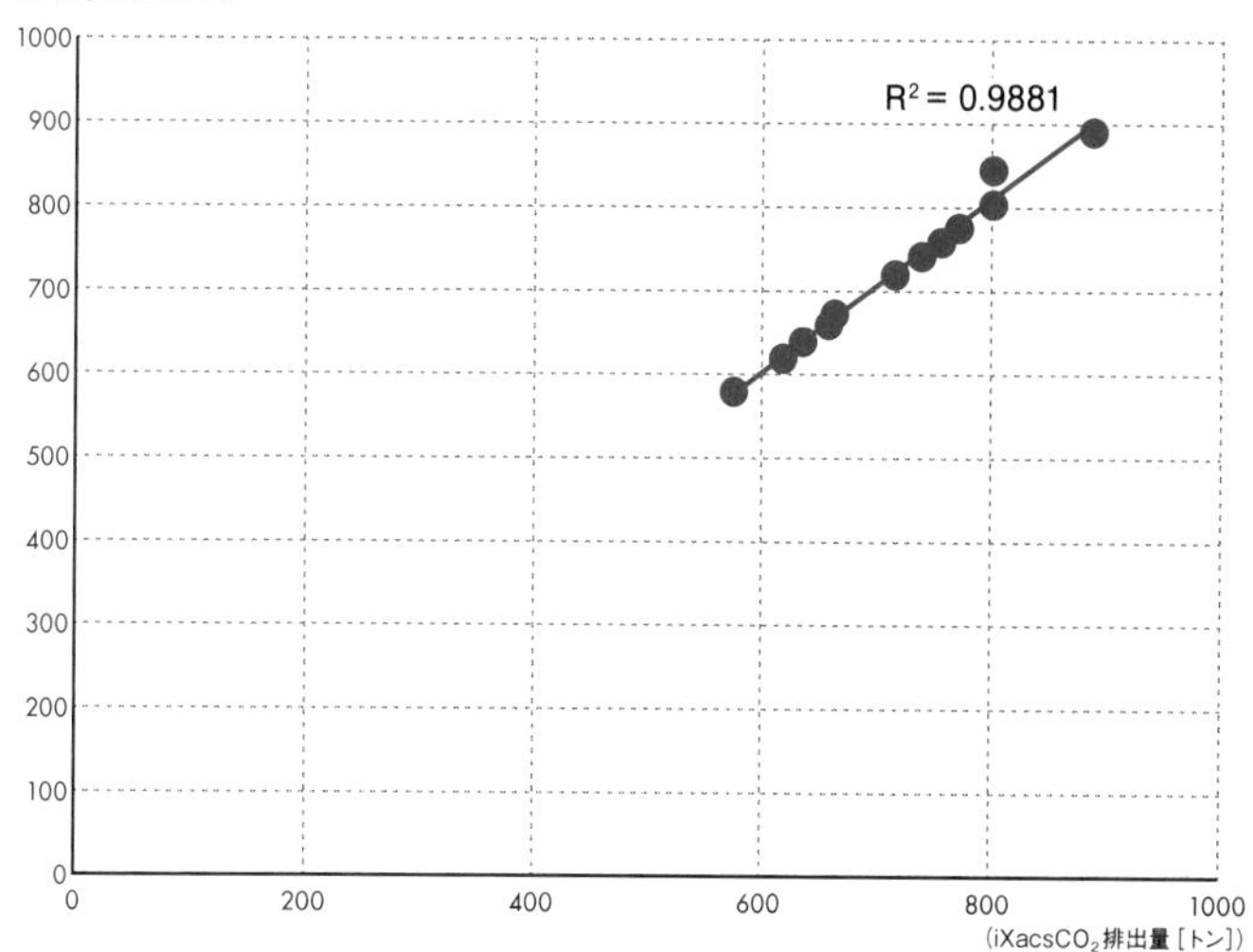

iXacsCO_2排出量－実CO_2排出量（西尾ガス分）

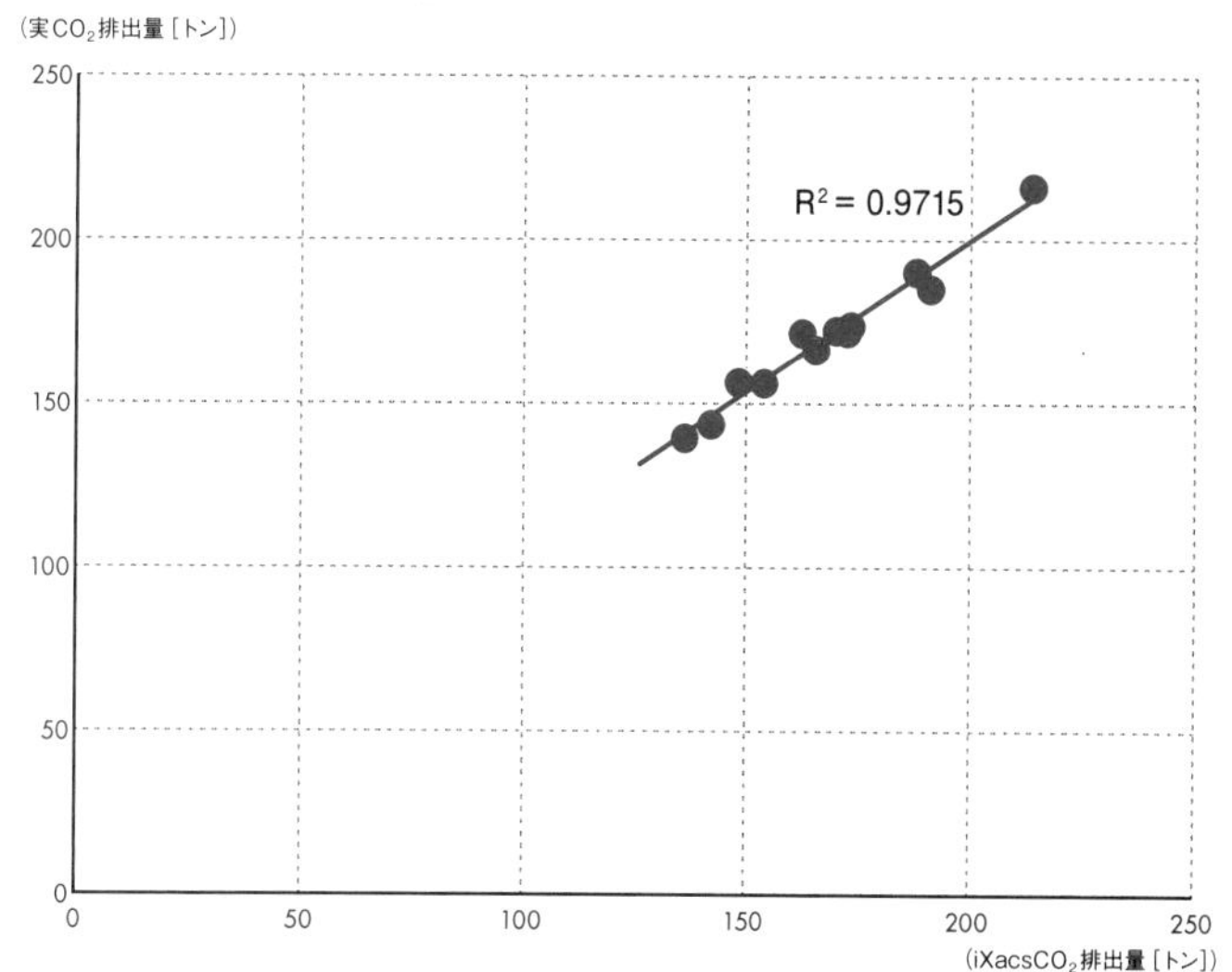

2022年iXacsCO_2排出量－営業売上

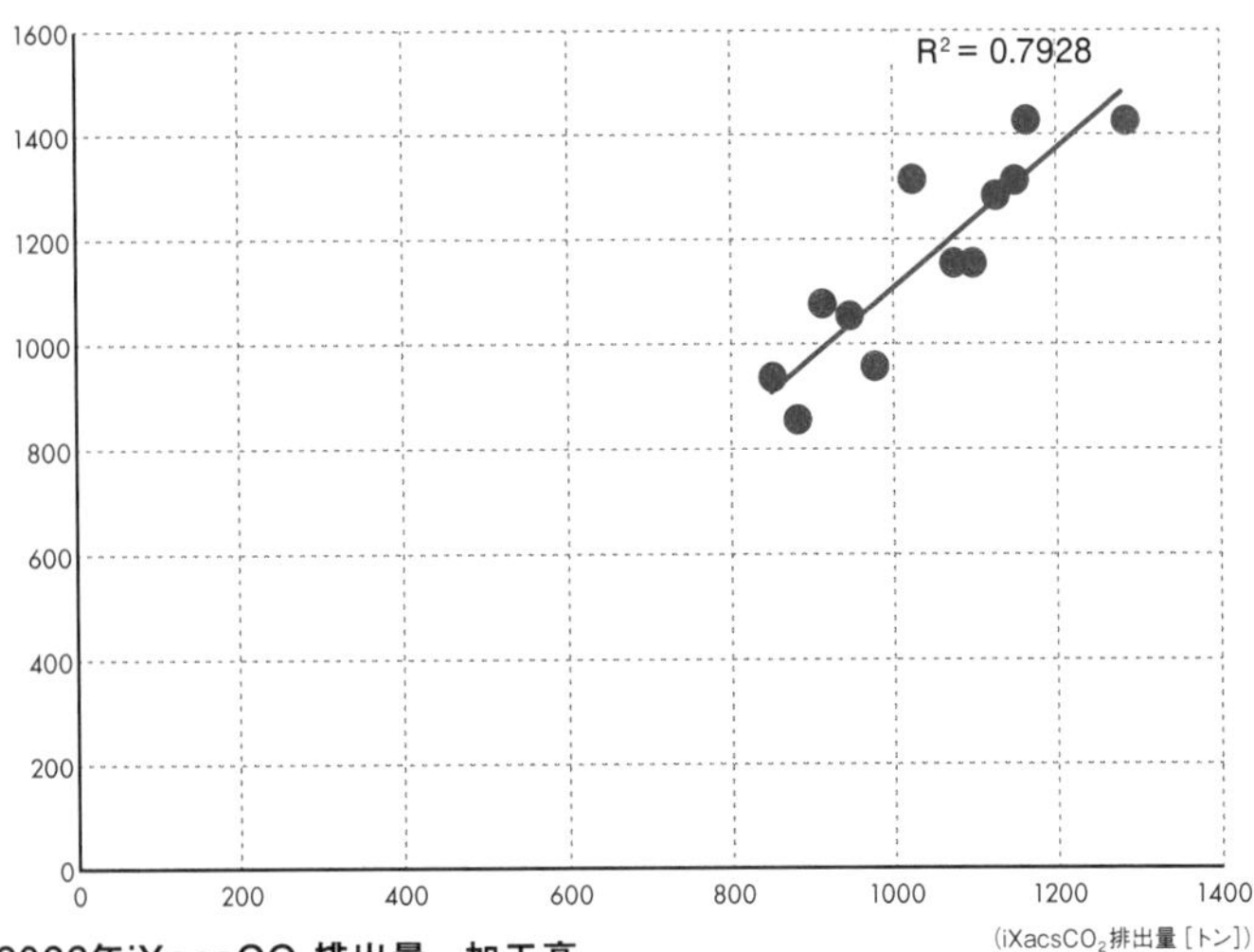

2022年iXacsCO_2排出量－加工高

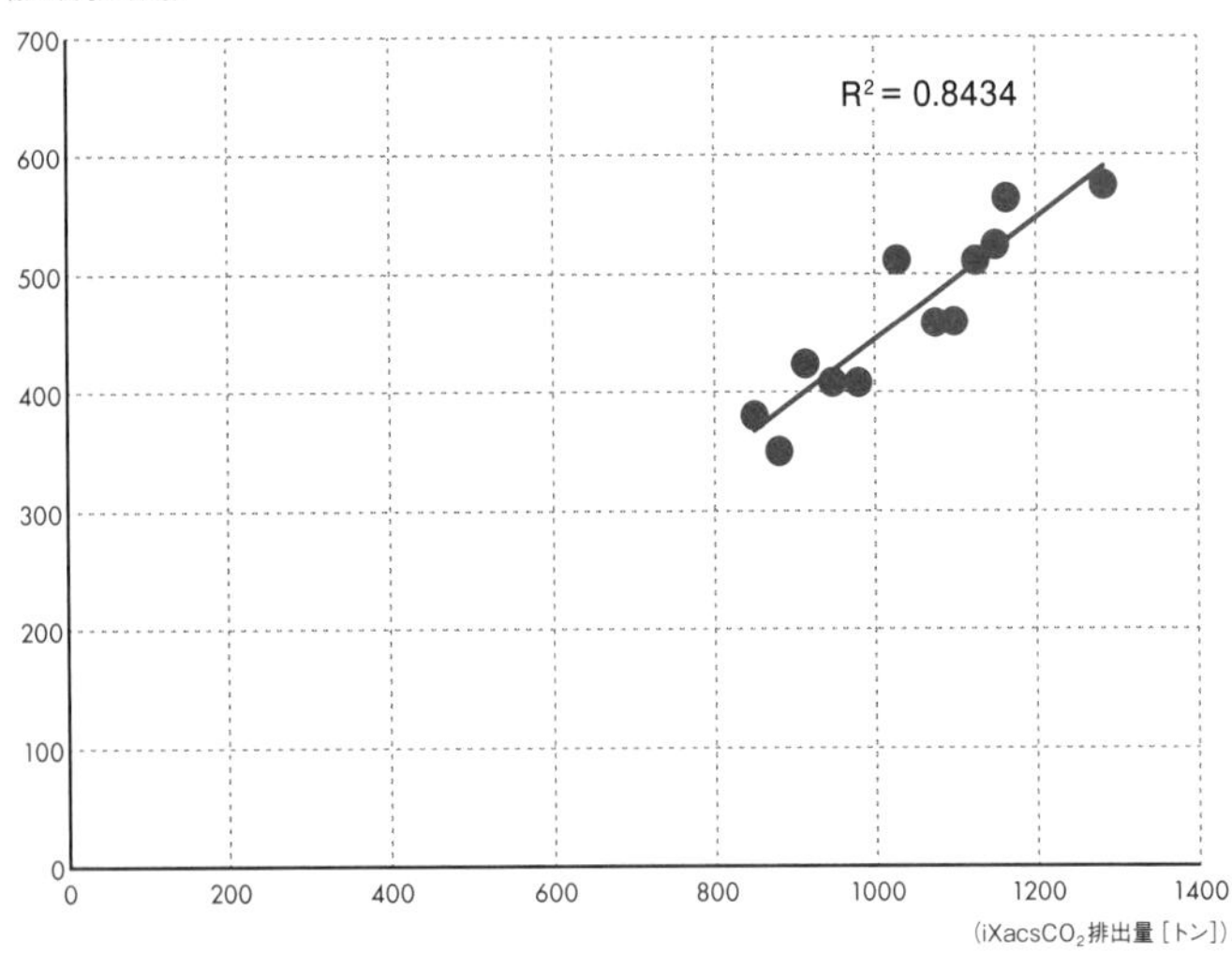

column　IoTで決算数値を予測する

旭鉄工では、月次決算をおこないその回帰直線を求めてきた経験から、売上と営業利益、エネルギー消費量と売上の相関はそこそこ高いとわかっています。また、付加価値額と売上は材料費と購入部品費の割合で決まり、この相関も高い。ということは、iXacsで付加価値額を把握していれば、期の決算の締めを待たなくてもそこそこの精度で年度の売上と営業利益を予測できるようになります。

なお、iXacsの付加価値額から推定した月次決算の売上の数値はずれることがあります。それは、月次決算の売上はお客様への納入タイミングに左右されるので必ずしも生産状況と一致しない一方、iXacsの付加価値額は生産状況そのものを表すからです。見方を変えると、iXacsの付加価値額から推定した売上と実際の数値の差は在庫の増減を意味することになります。

IoTサプライチェーンマネジメント

サプライヤーリスク管理

私がトヨタ自動車の生産調査部に所属していた時に、東日本大震災が起きました。発生して1週間後くらいだったか、北上にあった当時の関東自動車の工場を基地として、東北地方のサプライヤーを回りました。被害状況や生産の可否を確認するためです。電話で「大丈夫です！」とお聞きしていても、実際は津波による被害がひどかったり、地図上で海のそばだったので「これはダメだろう」と行ってみたら高台に工場があって何も被害がなかったりなど、行ってみないと本当のところはわかりませんでした。しかし、IoTでモニタリングできていれば、電気や通信のインフラの稼働が前提ではありますが通常レベルの生産ができているかどうか、普段見られない長時間停止が発生していないかなどがかんたんにわかります。

じつは、我々のIoTモニタリングサービスの最初のお客様は東北のメーカーでした。

「サプライヤーの規模が小さく供給が不安だから、課長級のメンバーを定期的に巡回させている。製造ラインをＩｏＴでモニタリングして異常の発生時だけ行くようにすれば巡回のコストが大幅に下がる。サプライヤー自身によるカイゼンまでは望んでいない」

そう仰っていました。思えば、これがＩｏＴによるサプライチェーンマネジメントです。こういった自然災害発生時の管理はもちろん、長時間のトラブルなどリスクの即時検知、ＢＣＰ（Business Continuity Plan＝事業継続計画）上カギになる部品の生産状況の把握、売上そのものの減少によるビジネスの継続性の疑義の把握などは、サプライヤーのリスク管理という意味で重要です。

サプライチェーンの競争力強化

サプライチェーンの競争力強化にもｉＸａｃｓは有効です。自分たちだけではカイゼンできないサプライヤーはたくさんあります。その場合は、サプライヤーのｉＸａｃｓデータを活用して発注元が生産性向上やCO_2排出量低減などの活動をおこなうこともできます。

ここで重要なのは、サプライヤーのデータを、双方にメリットがある形で使うことです。一方的にコストダウンを要求するようなデータの使い方をするとサプライヤーはデータを出すことを嫌がります。旭鉄工ですでにおこなった事例としては、次のものがあります。

- サプライヤーと協力して原価低減をおこない、低減した労務費の半分の売価を低減した
- サプライヤーと協力して電力料金を低減し電力料金高騰分の補填費用を抑えた

どちらもサプライヤーと旭鉄工双方のメリットとなる使い方になっています。エネルギー費の高騰している現状では、まずはサプライヤーのCO_2排出量の把握とその低減から入るのが、双方にとって金銭的なメリットも得やすいでしょう。

GHGプロトコルスコープ3のためのサプライヤーのCO_2排出量の把握

GHGプロトコル（Greenhouse Gas Protocol）は、温室効果ガスの排出を計測・報告するための国際的な標準です。このプロトコルには、排出源に基づいて3つの「スコー

プ」というカテゴリーが定義されています。

- **スコープ１**：企業の直接的な排出（ガスやその他燃料の燃焼による排出）
- **スコープ２**：企業が消費する電気や熱などの間接的な排出
- **スコープ３**：企業の事業活動に関連する、スコープ1とスコープ2以外の排出

スコープ3には、サプライチェーンをまたいだ排出量が含まれます。いずれ、「製品1個あたりのCO_2排出量は何g」というレベルの把握が求められます。

大手企業の中には、Ｅｘｃｅｌなどを使ってサプライヤーに排出量の提出を求めている会社がありますが、その多くは電力・ガス会社の請求書レベルのデータのようです。それでは、問題が見えずカイゼンできないとか、製品1個あたりの排出量が算出できないという問題があります。

ｉＸａｃｓを用いれば製品1個あたりのCO_2排出量が何gとの計算もできますし、問題点も見えますから排出量の低減もできます。そして、複数のサプライヤーのデータを遠隔で把握し統合することも容易です。ＩｏＴを活用しているからこそ、こういったことが可能になります。

サプライヤークラウド

ここまではサプライヤーの製造ＩｏＴデータの活用について述べました。以前から、サプライヤーとのコミュニケーションにおいてはさまざまな問題がありましたが、特にコロナ禍ではサプライチェーンにおける不確実性が露見しました。状況の把握・予測が難しく、供給の中断や遅延が頻繁に発生しました。ＧＨＧプロトコルスコープ３は喫緊の課題ですが、それ以外にもサプライヤーの状況をより早く正確に把握する必要性が高まっているといえます。

これまで、サプライヤーとの情報共有はおもにメールや電話に依存しており、また情報が属人化しやすく不透明でした。情報共有の過程で情報が埋もれたり、時間の経過や担当者の変更により情報が失われることもあります。また、サプライヤーへの依頼や申請プロセスがスピーディに進まず、ルールやフォーマットに関する問い合わせが頻繁に発生し業務に遅延が発生することもあります。

こういった情報をクラウド上で共有し、情報共有を個人単位ではなく組織単位でおこなうことで、情報は一元化され、過去の情報も含めて容易にアクセスできます。これにより情報の透明性と効率が向上します。

旭鉄工ではこれを「サプライヤークラウド」と称し、サプライチェーンマネジメントレベルを向上させていく予定です。

製造IoTデータの他領域での活用の可能性

ここまで製造業のサプライヤーチェーンでのデータ活用について述べましたが、これらのデータは製造業という枠を越え、ほかの業界で活用できる可能性もあります。

金融機関での活用

これまで銀行から融資を受ける際、事業会社は「こういう製品を、これくらい製造して、これくらい儲けるから、設備投資用に5000万円貸してください」という調子で依頼していたはずです。しかし、融資実行後、予定どおりにその製品が生産されている(売れている)かどうかは、銀行ではリアルタイムで把握できませんでした。「社長、調子はどうですか?」と御用聞きをしても、社長が本当のことを言うかわからないし、そもそも社長が製造現場の実情をキチンと把握しているとは限りません。銀行マンは、融資の可能性のある調子のいい会社にしか行かない、という面もあるでしょう。結果、事業会社の業績をしっかり把握できず、年の決算を締めてみたらその結果が思ったとおりでなかったということも多々あるはずです。

製造ラインの稼働状況やエネルギー消費量をｉＸａｃｓで収集して事業会社と銀行でデータを共有すれば、これまでできなかったアクションが可能になります。

- 予定より生産できていない（売れていない）のであれば、拡販の手伝いをする
- 好調であれば、さらなる設備投資のための追加融資を検討する
- 稼働状況データを見て、カイゼンのアドバイスをする

など、事業性融資の判断材料になったり、今までの銀行の業務の枠に囚われない付加価値を創出できる可能性があります。

IoTデューデリジェンス

M&Aのデューデリジェンス（経営状況や財務状況などの実態調査）において、これまでは財務諸表を使って算定している企業価値の算出方法も、iXacsで進化します。たとえば、代表的な製造ラインをiXacsで1週間程度モニタリングします。それにより

- 稼働時間あたりの付加価値額
- CO_2排出量あたりの付加価値額
- 稼働時間
- 可動率
- CO_2排出量正味率

などのデータが集まり、業界平均の相場や類似した製品を生産する他社の製造ラインと比較することで、その会社の業界内でのレベルが判断できます。さらに、「この程度ま

ではカイゼンで可動率が上がりそうだから、労務費はこれくらい抑制できるだろう」との推定も可能になります。

指標の中身が数値でわかることによるメリットもあります。たとえば、24時間近くフル稼働している製造ラインは、一見それ以上の生産は難しいように見えます。しかし、稼働の中身を見て停止が多かったならば、カイゼンで生産量を増やすことも可能だとわかります。カイゼンによるＥＢＩＴＤＡ上乗せ余地を算定し、ＥＸＩＴに向けての作戦立案にも使えるでしょう。

Ｍ＆Ａ後のＰＭＩ（Post Merger Integration）でも、データは活用できます。Ｍ＆Ａ実行前に問題点と向上代の見込みがわかっているわけですから、企業価値向上のためのカイゼンを素早く開始することができます。

このように、企業の製造ラインの実力をＩｏＴで得られた数値で明確化することにより、デューデリジェンスのあり方も変わるでしょう。

リース会社での活用

稼働状況が遠隔で把握できるので、新たな商品開発も可能です。たとえば、設備の稼働状況に応じて、低負荷だと安く、高負荷だと高くなるよう、リース料を変動させることも考えられます。また、異常による停止やメンテナンスの頻度をモニタリングしておき、修理代をカバーする保険の料率に反映させるなどもあるでしょう。必ずしもIoT機能が組み込まれた設備でなくても、iXacsを取り付けることでこういう商品に対応させることも可能です。

IoTマクロ経済把握と予測

2019年9月以降の旭鉄工のiXacs総付加価値額の日次データを用いて、マクロ経済指標と比較してみます。

生産データというのは突発的な事由により変動するため、生データのままではそれら

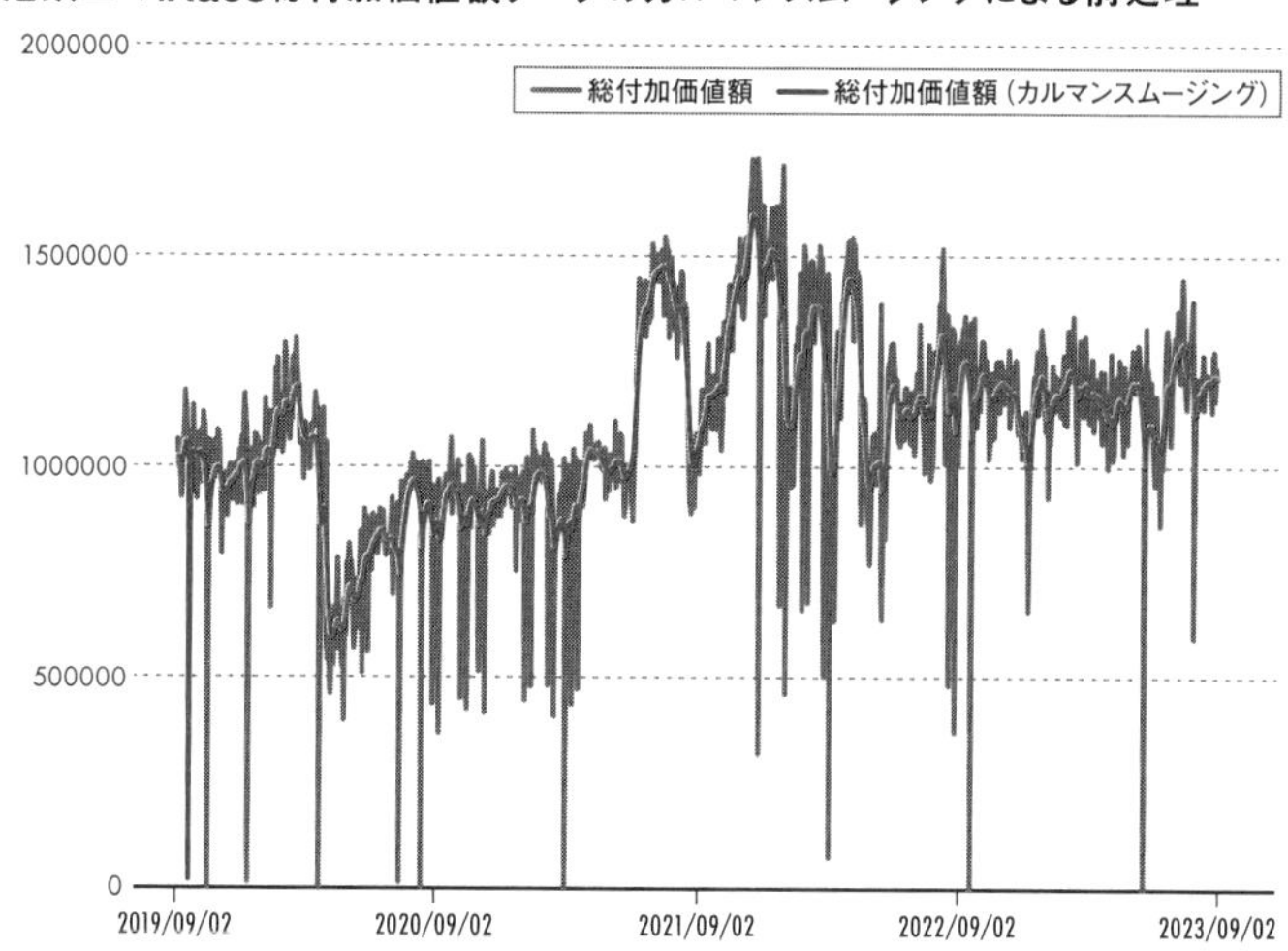

のデータがマクロ経済指標との比較時にノイズとして寄与してしまうと考えられます。そこで、総付加価値額の傾向とは異なるデータの影響を排除するために、カルマンスムージングという手法を用いてデータに前処理を施します。それにより、少ししか生産していない日などのピーキーなデータの影響を排除したデータを取得することができます。

その後、ｉＸａｃｓの総付加価値額と次の３つを比較してみました。

①トヨタ自動車の株価
②日経平均
③東証株価指数ＴＯＰＩＸ

すべての指数において、２０２０年４月頃のコ

旭鉄工のiXacs総付加価値額データと①トヨタの株価②日経平均③東証株価指数との比較

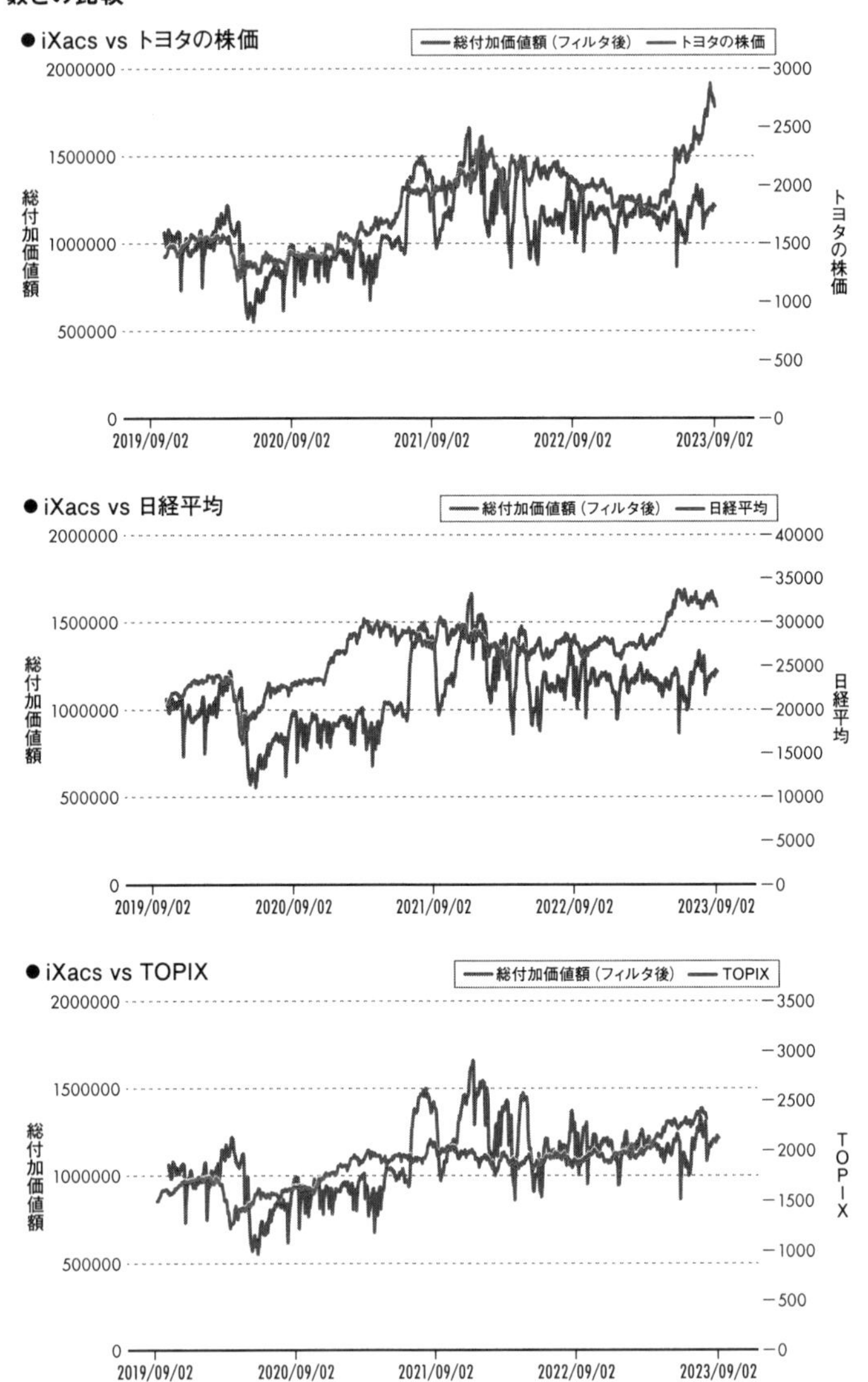

●iXacs総付加価値額と各経済指数の決定係数

	トヨタの株価	日経平均	TOPIX
決定係数（R2）	0.495	0.265	0.334

ロナショックによる株価急落の傾向やその後の株価回復動向についても、iXacsのデータとその他指数の動きはある程度の相関があるように見えます。

ここで、各指数とiXacsで取得したデータの相関関係を計算してみました。もちろん株価は、実際の生産活動などのファンダメンタルズのみで決まるわけではないためそれほど高い相関ではありませんが、特にトヨタの株価との比較を見ると決定係数0・5と中程度の相関があることがわかります。

これは、考えてみると当然かもしれません。なぜならば、旭鉄工のある部品はトヨタ自動車の日本国内で生産されるエンジンの90％以上に入るため、旭鉄工の稼働状況データはトヨタ自動車の稼働状況と強い相関を有していると想像されます。ということは、旭鉄工の生産状況データを見ているつもりが、じつはトヨタ自動車および日本中の多くのサプライヤーのデータも見ていることになると考えられます。

旭鉄工のデータだけですらそうなのですから、仮に全国から1000社単位のデータを得ることができたならば、それは日本経済の生産状況＝経済活動を代弁するようなものになるはずです。そうなると、定量データでマクロ経済動向がリアルタイムで把握可能になります。iXacsは日本標準業種分類の値によって顧客を整理していますから、地域別、業種別などの中での顧客の位置づけとその動向が把握できます。

「この業界はいいけど、この業界は悪い」
「この地域はいいけど、この地域は悪い」
「この業界全体は良いのに、この会社は悪い」

そういったこともわかるでしょう。データ収集対象が広がれば統計データの代わりになったり、なんらかの政策を打ったりしたときの効果も判別できるようになるかもしれません。流通の停滞などの状況もいち早く察知できるはずです。

さらに、ＴＯＰＩＸのようなマクロ経済指標との相関が一定程度あると証明されれば、個別の会社の株価の予想に役立つデータになる可能性が十分にあると考えています。

以上は、製造ＩｏＴデータのほかの領域での活用事例として、現時点で容易に想定されるものです。こういう視点に立てば、まだまだいくらでもあるはずで、そういった世の中にない活用方法を開発し、新たな付加価値を創造することを考えていきます。

column 生産個数ではなく付加価値額での比較が必要

先ほど「IoTマクロ経済把握と予測」で言及したiXacsデータとマクロ経済指標との比較について、じつは面白い発見がありました。それは、総付加価値額と各経済指標の相関は中程度確認されましたが、生産台数と各経済指標の相関はほとんど見られなかったということです。

感覚的には、サプライヤーの儲けなど関係なく、部品の個数のほうがトヨタの生産台数（≒付加価値≒株価）と相関が高いように思えるかもしれません。しかし、トヨタの株価と、その部品メーカーである旭鉄工の生産付加価値額の相関が高いという結果になりました。

この理由として、トヨタにとって付加価値の高い品種（ハイエンドモデル）に使用する部品は価格も高く、そういった機種が多く売れることでサプライヤーにとっても利益になることが考えられます。顧客が稼げない車種は、いくら数が増えても仕入先も稼げないということもありえます。このため、生産台数だけではトヨタの付加価値を測りきれず、株価との相関関係が見えづらかったのだと考えられます。

一般的なニュースなどでは、自動車メーカーの優劣を販売台数で見る風潮があります。それ自体は1つの指標としてまちがってはいないと思いますが、先ほどのデータからの教訓によると、メーカーの本質的な実力を測るには、付加価値の額で見るべきと言えそうです。さらに、メーカー側もやはり付加価値を見える化し、その創造に重点をおいて活動するべきと、改めて教えてくれる非常に興味深いデータでした。

旭鉄工のiXacs生産個数データと①トヨタの株価②日経平均③東証株価指数との比較

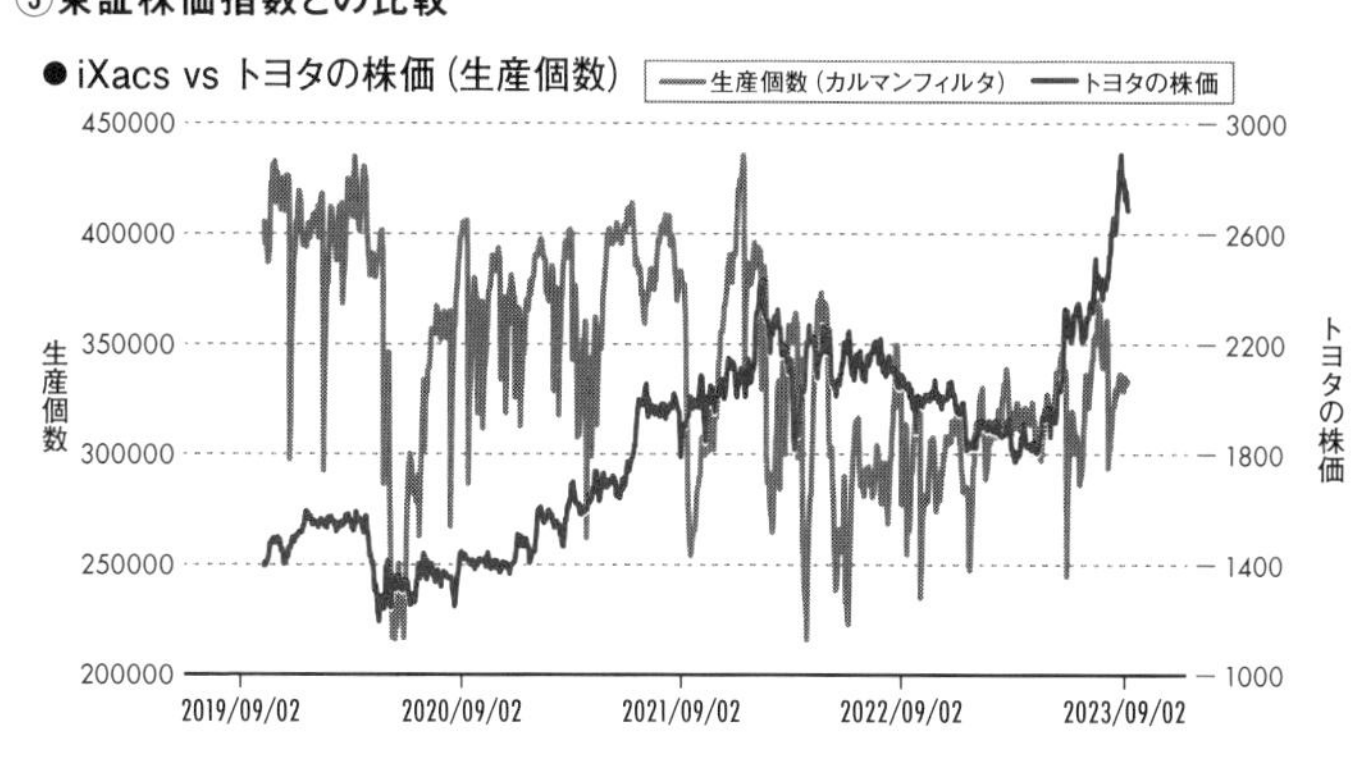

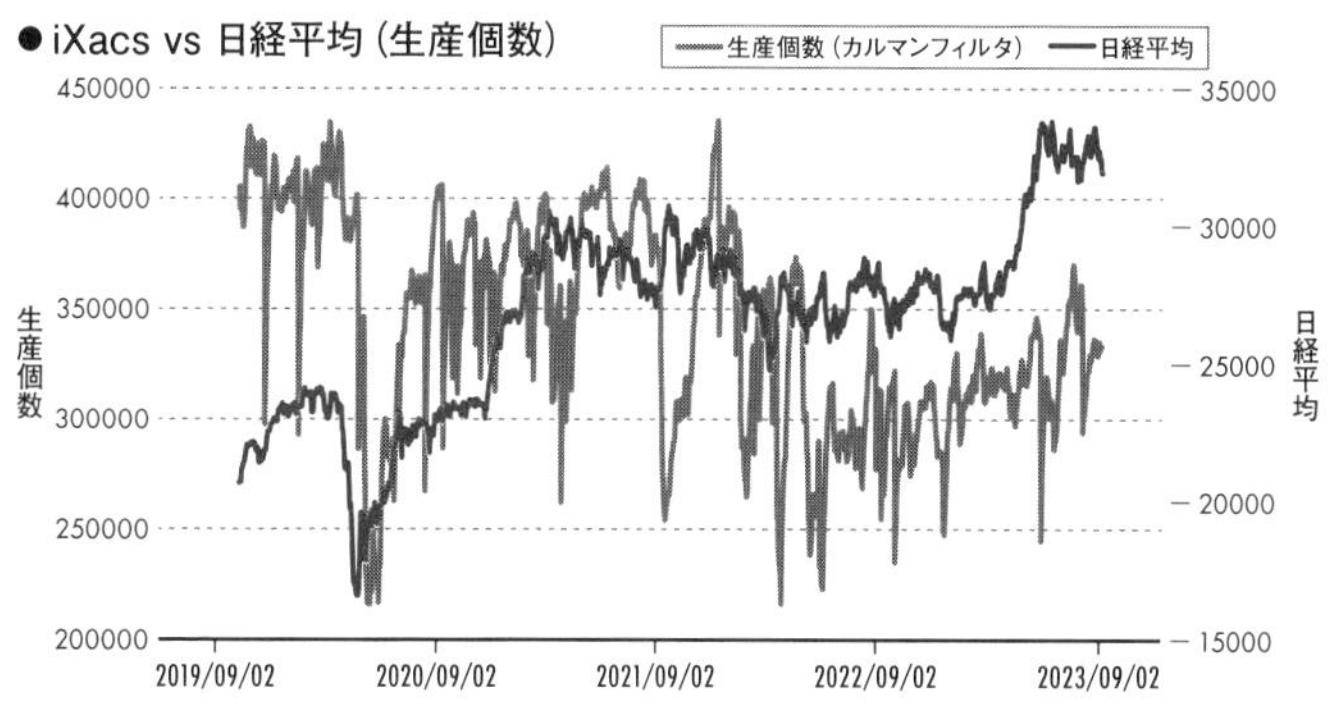

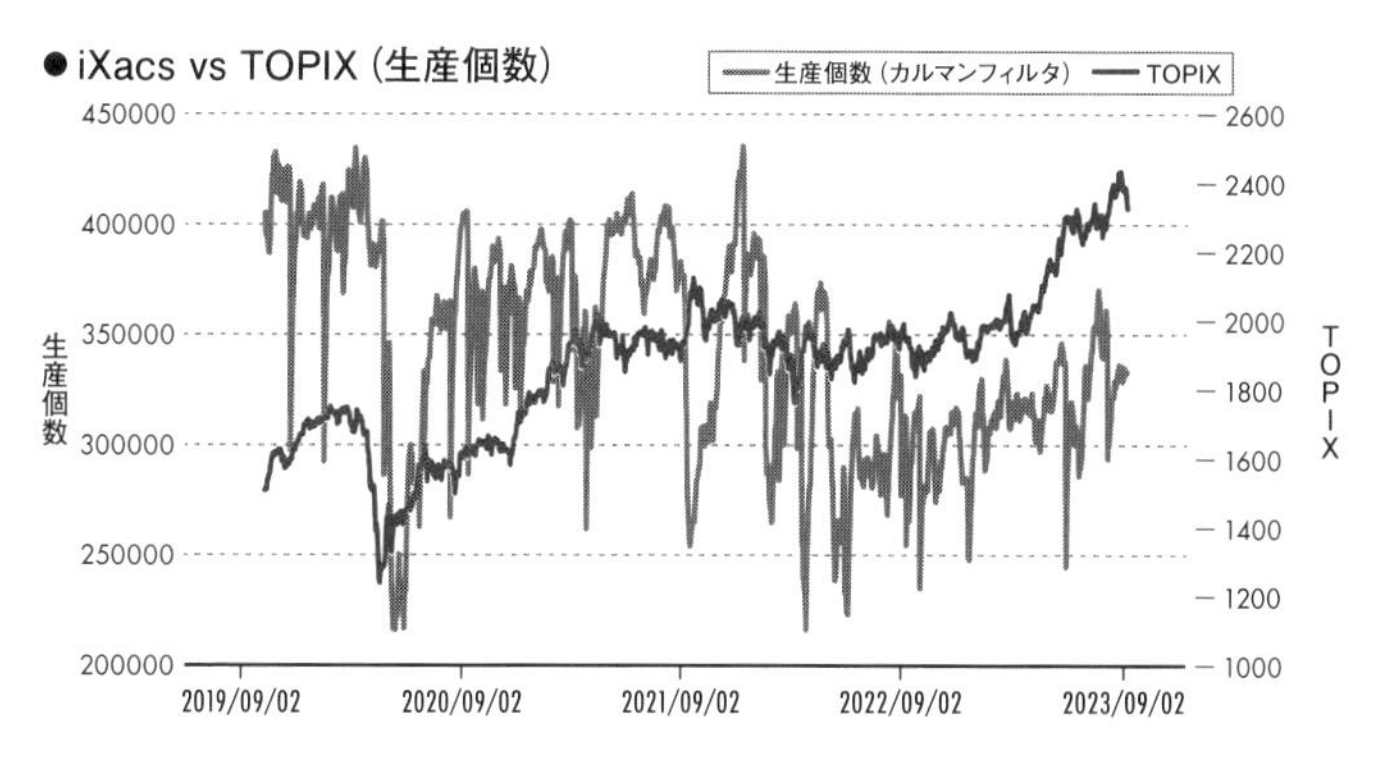

経営のアルゴリズム化

経営GAIが付加価値ファーストを加速する

　これまで繰り返しお伝えしてきたように「付加価値ファースト」という考え方は、旭鉄工のカイゼン活動の根本にあるものです。カイゼン活動において人手と時間のかかるデータ収集・分析を自動化し、そのデータを活用する仕組みの整備やノウハウの共有・民主化をおこなうことで「問題の解決方法を考える」という付加価値の高い仕事に人が集中できるようになりました。ただし、これらはおもに製造現場のカイゼン活動の話でした。会社経営についても、この考え方を拡張し、「見える化ツール」から「経営ツール」へ進化させようとしています。

　第5章において、旭鉄工のカイゼン事例を自然言語で生成ＡＩに学習させておいてそのノウハウを自然言語で引き出す「カイゼンＧＡＩ」についてお話ししました。同様に会社経営についても、さまざまな問題およびその対処方法・判断などを独自に構築した生成ＡＩに学習させておき、問題発生時に過去の類似事例から対処方法を提示させることができるはずです。いわば「経営ＧＡＩ」とでもいうべきものです。

人間に求められることとは

通常発生するさまざまな問題およびその対処方法・判断の多くにはパターンがあるはずです。人間の持つ「経験」もパターン認識の1つであり、素早く適切な判断・対処を可能にしています。会社経営においてなんらかの問題が発生した際、経営ＧＡＩは過去の類似事例を自動的に検索し、その結果に基づき必要な社内外のデータをデジタルで収集・分析・統合し、人間の前に判断材料として提供します。「必要な時に、必要な人に、必要な情報を」用意するのが経営ＧＡＩの役割とも言えます。そして、最終判断と施策の実行のみを人間がおこなう。経営のスピードアップと効率化が実現します。これを「経営のアルゴリズム化」と呼んでいます。これも「付加価値ファースト」です。経営活動そのものをデータとして残していくことにより相当な部分の代替が可能になると考えています。

もっとも、経営ＧＡＩは過去の自社事例やノウハウ、およびインターネット上で検索可能な事前知識をベースに情報の提供をおこなうことになります。新しい戦略や施策の立案、アイデアの創出、未経験のことへの挑戦は経営ＧＡＩにはできません。インターネット上に載っていない新たな領域の知識や、特に移動を伴う個人的な経験を身に着け、経営ＧＡＩの内容を進化させたり経営ＧＡＩの提示してきた内容を修正して判断することが人間に求められることになります。それは「付加価値ファースト」という我々のスローガンそのものであり、今後実現に向けて取り組んでいきます。

おわりに

本書の最後に私がよく使っているフレーズをまとめます。これらに旭鉄工のＤＸが詰まっています。

● 「ＤＸはＤよりＸ」
デジタルツールの導入・構築ではなく会社の仕組みや風土を変えることが大事です。衝突や困難、反対があってあたりまえです。覚悟をもってやり遂げましょう。

● 「必要なのはＩＴ人材ではなく、経営者がＤＸ人材になること」
アンテナを高く張り、デジタルでやるべきことを考え、社内の変革を後押しする。経営者がそういう人材になるべきです。

● 「風土を変えるのは仕組みではなく行動」
経営者自身が自分の仕事のやり方を見直す、風土を変える具体的な行動を取る。そうしないとだれも変わってくれません。

- 「デジタルでＰＤＣＡを楽に、楽しく」

ＩｏＴの活用でＰＤＣＡサイクルが楽にそして楽しく回るようになります。人手に頼るのはじつは高コストで遅いということに気づく必要があります。

- 「見える化すべきは数値ではなく問題」

数値ではなく、問題を見える化すれば直したくなります。ムダな電力の見える化が典型的な例です。数値をどう分析しムダを特定するかが重要です。

- 「問題を直さないと意味がない」

まず見えた問題を直しましょう。そして、そのノウハウの蓄積と展開が重要です。

- 「背反よりも付加価値を考える」

新しいことには背反・リスク・コストが必ずあります。が、それよりも付加価値を大きくすることを考えトライしないといつまでも変われません。

●「とにかくやってみよう」

経験のないことをやるために計画ばかり考えても意味がありません。まずは動いて、その結果を見て柔軟に方向を修正しましょう。

ぜひみなさん1人1人が行動を変え、会社を、社会をよくしていきましょう。

この本の企画は2021年7月、「社長はお忙しいでしょうから、インタビューを受ける形でライターの方に書いてもらいましょう」として始まりました。この本には一般論ではなく、私が旭鉄工で実際におこなってきたことが書いてあります。そのため、進化する実務に合わせて内容も変化し、結局全部自分で原稿を書きました。Googleドライブで共有する原稿にどれくらい時間をかけたかわかりません。私が校正した量も普通の人の数倍のようです。「カイゼンには終わりがない」ということですね。こんなこと、原稿用紙とFAXではやってられません。これもDXです。それはともかく、原稿を書くことで頭の中も整理され、新しいアイデアも湧くという副次効果もありました。1冊目が2018年、この2冊目が2024年初頭なので、次は2028年か2030年に

3冊目を上梓するつもりです。引き続き人がやらない取り組みを積極的におこなっていきます。

この本にある旭鉄工のカイゼン事例を紹介するにあたり、データを社内のメンバーに提供してもらいました。現場のみなさんの協力なくしてこの本は書けませんでした。また、社内の雰囲気が伝わる、本のネタになるような楽しい業務をしてくれている従業員のみなさんにも感謝します。そしてもちろん、原稿を常にアップデートする必要があるくらいの勢いで私がやりたいと言ったことを実現して業務をどんどんアップデートし続けてくれるメンバーに感謝してます。ありがとうございます。

トヨタ自動車株式会社ＥｘｅｃｕｔｉｖｅＦｅｌｌｏｗの内山田竹志さんには、お会いするたびに応援していただき、とても励みになっております。いつもありがとうございます。

トヨタ自動車時代の先輩・同僚・後輩のみなさんには弊社のお客様になってくださったり、必要な人を紹介していただいたり、車の趣味関係で遊んでいただいたりするなかでＤＸのヒントやネタを提供していただきました。ありがとうございます。

クレジット・プライシング・コーポレーションの松浦元さんには、ＩｏＴデータとマクロ経済の相関について数年前から示唆をいただいており、今回はデータ処理方法についてアドバイスをいただきました。分析はこちらでやったので不十分だとは思いますが今後さらに進めていく所存です。ありがとうございました。

技術評論社の傳智之さんとＫｉｓｓ ａｎｄ ＣｒｙのエイミーにはＡ想定外の長期間にわたり根気よくお付き合いいただきありがとうございました。

最後に、少しの時間でも予定を詰め込んでなにかやったりどこかに行きたがる私を自由にしてくれている家族に感謝します。

本書の「はじめに」で「必要なのは経営者がＤＸ人材になること」と述べましたが、経営者に限ったことではありません。自分のこれまでの枠を超えて外の世界を見て、デジタルでこんなことができるんじゃないかと想像し、周囲を巻き込んでそれを実現していく。その際、デジタルツールを作ることを目的とせず、既存のものがあるなら活用して効果を出すことを考える。その過程で障害があろうとも粉砕して乗り越えていく。そういう人が増えることを期待しています。まず大がかりなことを考えず、チャットツールで社内のコミュニケーションをよくしてみたり、生成ＡＩを使って業務でおこなう文章作成を楽にするなど「デジタルで楽をする」ことを考えましょう。また、業務と直結していなくてもＡＩで画像を生成してみるなど「やってみる」ことも必要だと思います。

アクセルを踏む（＝挑戦する）前にブレーキを踏んで（＝リスクや背反を考えて）ばかりいる人が多いように思えます。ブレーキを踏むよりも、まずはアクセルを踏みましょう。挑戦して新しい付加価値を生み出す、それが今の日本に求められていることだと確信しています。

木村哲也（きむら・てつや）

旭鉄工株式会社 代表取締役社長。

i Smart Technologies株式会社 代表取締役社長 CEO。

1992年東京大学大学院工学系修士修了、トヨタ自動車に21年勤務。おもに車両運動性能の開発に従事後、生産調査室でトヨタ生産方式を学び2013年旭鉄工に転籍。製造現場はもちろん、経理、営業でもIoTデータを活用する体制を構築し、労務費を年4億節減するなどで損益分岐点を29億円下げ、同じ売上高で利益を10億円上乗せ。電力分CO_2排出量もすでに26%低減など大きな成果を上げる。

「旭鉄工の成功ノウハウを他社でも役立てたい」と「i Smart Technologies株式会社」を設立し、IoTモニタリング、データ分析、改善指導までトータルで生産性向上を実現するKaaS（Kaizen as a Service）を全国展開。その実績が評価され、2018年に経済産業省主催「第7回 ものづくり日本大賞特別賞」を受賞するなど受賞歴多数。これまで数百回の講演、100社以上の改善指導実績あり。

著書に『Small Factory 4.0　～第四次「町工場」革命を目指せ！』（三恵社）がある。日本デジタルトランスフォーメーション推進協会アドバイザー。

ホームページ
http://www.asahi-tekko.co.jp/、https://www.istc.co.jp/

X
https://twitter.com/tetsusw20

Facebook
https://www.facebook.com/tetsuya.kimura.12

ブックデザイン　秦 浩司
作図　室井浩明（STUDIO EYES）
企画協力　落合絵美（株式会社Kiss and Cry）
編集　傳 智之

お問い合わせについて

本書に関するご質問は、FAX、書面、下記のWebサイトの質問用フォームでお願いいたします。電話での直接のお問い合わせにはお答えできません。あらかじめご了承ください。ご質問の際には以下を明記してください。

- 書籍名　●該当ページ　●返信先（メールアドレス）

ご質問の際に記載いただいた個人情報は質問の返答以外の目的には使用いたしません。お送りいただいたご質問には、できる限り迅速にお答えするよう努力しておりますが、お時間をいただくこともございます。なお、ご質問は本書に記載されている内容に関するもののみとさせていただきます。

問い合わせ先
〒162-0846 東京都新宿区市谷左内町21-13
株式会社技術評論社　書籍編集部
「付加価値ファースト」係
FAX：03-3513-6183
Web：https://gihyo.jp/book/2024/978-4-297-13891-2

付加価値ファースト
～常識を壊す旭鉄工の経営～

2024年1月12日　初版　第1刷発行

著　者　木村哲也
発行者　片岡巌
発行所　株式会社技術評論社
東京都新宿区市谷左内町21-13
電話：03-3513-6150　販売促進部
03-3513-6166　書籍編集部
印刷・製本　昭和情報プロセス株式会社

ISBN978-4-297-13891-2　C0034
Printed in Japan